「超」創造法

生成AIで知的活動はどう変わる?

野口悠紀雄

GS
幻冬舎新書
705

數學上の仕事は單なる機械的の仕事ではなく、
如何に完全な機械にもせよ、
機械にまかせておくことは出來ない。

ポアンカレ（吉田洋一訳）『科学と方法』、岩波文庫

はじめに

生成系ＡＩは何ができるのか

われわれはいま、人類の文明史における大きな曲がり角を見つつあります。

ChatGPTやBing、Bardなど「対話型生成系ＡＩ」と呼ばれる技術を一般の人々が使えるようになり、これまで人間にしかできないと考えられてきた知的活動の領域にＡＩ（人工知能）が入ってきたからです。

人間が仕事をする基本条件が、大きく変わろうとしています。印刷術の発明やインターネットの登場によって生じた変化に匹敵するような（たぶん、それ以上に大きな）変化が、これから起こると予測されます。

ただし、この新しい技術は登場したばかりであり、それがどれだけの力を持つのかが、まだはっきりとは分かりません。

一方では、多くの人々が、生成系ＡＩをビジネスにどのように活用できるかを模索しています。他方では、自動的に文章ができてしまうので、それらの仕事に関係する人々が失業したり、学生が手抜きをして、教育上、悪影響があると危惧する人々がいます。

このように評価は正反対なのですが、肯定的に捉えるにせよ否定的に捉えるにせよ、「生成系ＡＩの能力がきわめて高い」との理解は共通です。「聞けば何でも答えてくれる魔法の仕掛け」と捉えられているのです。

しかし、生成系ＡＩは、本当にそれほどの能力を持つのでしょうか？　これを検討するのが、「第Ⅰ部　ChatGPTを使う」の課題です。

私が何度も実験を繰り返して得た結論を要約すれば、少なくとも現状では、生成系ＡＩは、正しい情報を提供することができません。また、新しいアイディアを創造することもできません。

生成系ＡＩは自然言語（人間が普段使っている言葉）による問いかけに対して、自然言語での答えを出力しますが、その内容を信用することはできません（第1、2章）。安易に利用すれば、破滅的な事態になりかねません。これを正しく認識することが、生成系Ａ

Ｉの利用にあたって最も重要な点です。

このような認識のもとに、第1章から第5章では、知的活動に対話型ＡＩをどのように使えるかを考えます。

まずは、**知的作業の中核ではなく、周辺作業の効率化に対話型ＡＩを用いるべきです**。資料の翻訳や要約、文章の校正などがその例です（第2、3章）。

ただし、生成系ＡＩの利用可能性は、これらにとどまりません。さらに進んで、知的作業の中核に用いることが考えられます。**適切に巧みに利用すれば、知的活動の本質にかかわる変化が可能になります**（第4、5章）。とりわけ重要なのは、文章を書く作業を効率化することです（第4章）。ＡＩに創造はできず、それゆえに主人にはなれないのですが、**知的活動の強力な助手になれる**のです。

どうすればアイディアを生み出せるか

生成系ＡＩが出す答えが正しくない点については、今後の技術進歩によって改善が期待されます。しかし、ＡＩに創造活動ができないことは、本質的な問題です。

本書のエピグラフに引用した言葉で、フランスの数学者ポアンカレは、数学を機械に任せておくことはできないと述べています。数学を「創造的な仕事一般」と置き換え、機械を「生成系ＡＩ」と置き換えても、同じことが言えます。創造活動は、人間にしかできないのです（第５章）。

人間は、生成系ＡＩを使って周辺作業の効率を上げ、それによって節約できた時間を使って、創造的な仕事に専念すべきです。

では、人間は、創造的活動をどのように行なったらよいのでしょうか？　これが「第Ⅱ部　どうすればアイディアを生み出せるか」のテーマです。

アイディアを出すための手法として、「考えをカードに書き出して、さまざまな組み合わせを試みる」という方法（マニュアル的発想法）がしばしば提案されます。しかし、このような機械的な方法では、アイディアは出てきません。

かといって、何もないところに、アイディアが突如として天から降ってくるわけでもありません。新しいアイディアは、頭の中にあるさまざまな考えの組み合わせから生じるのです。アイディアは、考え続けることによってしか出てきません。

そして、**ある問題について深く考え続けていれば、偶然のきっかけで新しいアイディアが生まれます**（第6章）。

したがって、アイディアを生み出すには、頭の中を問題で一杯にし、仕事の環境を少し変えればよいのです。この具体的方法論を第7章から第9章で述べます。

ＩＴ（情報技術）の発達によって、発想を助けてくれるさまざまなツールが利用可能になりました。とくに重要なのは、音声入力でテキストを書けるようになったこと（第7章）と、データをクラウドに保存して管理できるようになったこと（第8章）です。

これらの利用によって、「何の準備もなしに、とにかく仕事を始める」という方法が可能になりました。アイディアのかけらが行方不明になることがないし、いったん書いたことを、あとからいくらでも書き直せるからです。

これは、アイディアを生み出し、成長させるための最も効果的な方法です。これが、第7章で提案する「クリエイティング・バイ・ドゥーイング」（仕事をすることによってアイディアを生み出す）です。

単純労働者でなく、知的労働者に影響が及ぶ

生成系ＡＩは創造ができず、また間違った情報を出すことがあります。しかし、だからといって、無視してよいことにはなりません。それどころか、これまで人間が行なってきた知的活動に甚大な影響を与えます。なぜなら、資料の翻訳、要約、文章作成や校正などの仕事を、人間とは比較にならないほど高速で行なえるからです。

このため、多くの人が、「私の仕事は、ＡＩによって代替されてしまうのか？　それとも逆に、ＡＩの活用によって価値がより高いものになり得るか？」という問いに直面しています。**この問題に対して無関心でいるか、あるいは積極的に対応しようと考えるかによって、その人の将来は大きく変わる**でしょう。

企業もそうです。生成系ＡＩが広く使われる社会において、企業活動の本質はどう変わるか？　新しい環境で成功する企業の条件は何か？　という問いに、すべての企業が直面しています。この問いに対していかなる答えを見出せるかが、今後の企業活動に重大な意味を持つでしょう。こうした問題が「第Ⅲ部 生成系ＡＩは社会をどう変える？」で論じられます。

産業革命以来、機械が代替してきたのは、単純労働でした。しかし、生成系ＡＩの場合には、知的労働に大きな影響が及ぶ可能性があるのです。これが、従来起こったこととの大きな違いです。また、職業そのものは残っても、生産性が上がるために失業者が出る、という事態も起こり得ます。

問題は、それにとどまりません。本書の第Ⅰ部では、生成系ＡＩの出力に誤りが多いことを強調しました。しかし、ＡＩの能力が向上すると、ウェブの情報を正しく読めるようになるかもしれません。そうなると今度は、別の問題が生じます。ウェブ上の記事配信サイトの経営が成り立たなくなってしまうのです（第12章）。それを防ぐには、強力な規制が必要になるでしょう。

生成系ＡＩがもたらす問題として私が危惧しているもう一つのことは、それによって作られた質の低い文章がネット空間に溢れ、その結果、悪貨が良貨を駆逐してしまうことです。しかし、そうはならず、まったく逆に、人々が質の高い文章をこれまでより強く求めるようになることも考えられます（第12章）。

そのような社会の実現を、私は強く望んでいます。

＊

本書は、「現代ビジネス」「東洋経済オンライン」「ダイヤモンド・オンライン」に公表したものをもととしています。これらの掲載にあたってお世話になった方々に御礼申し上げます。

本書の刊行にあたっては、幻冬舎編集部の四本恭子氏にお世話になりました。御礼申し上げます。生成系ＡＩの具体的な使い方の多くは、メールのやりとりを通じて行なった同氏との共同作業から生み出されたものです。

２０２３年７月

野口悠紀雄

「超」創造法　生成ＡＩで知的活動はどう変わる？／目次

本文イラスト　坂木浩子
図版・DTP　美創

〈図表目次〉

第I部 ChatGPTを使う

第1章　生成系ＡＩは何に使えて、何に使えないか

1　生成系ＡＩの衝撃

対話型生成系ＡＩの出現

２０２２年11月に対話型の生成系ＡＩであるChatGPTが登場し、世界に大きな衝撃を与えました。質問をしたり、指示を与えたりすれば、直ちに文章を出力してくれるので、まるで人間を相手に会話しているような気持ちになります。

自然言語での問いかけや指示を理解し、それに対して自然言語で答えてくれるのは、画期的なことです。なぜなら、人間が考えていることは、アイディアも思想も、ほとん

どが言語によって表現されるからです。人間は、言語を主たる道具として知的活動をしています。そこに大きな変化が生じたのですから、その影響は計り知れません。

この新しい技術をいかに使ったらよいのか？　それを求めて、世界中の人々が一斉に走り出しました。この新しい技術にどう向き合うか？　個人も企業も教育機関も、この問いを突きつけられています。

この問いに対する反応の中に、これから発展する個人・企業・教育機関であるのか、それとも衰退していくものであるかが、明白に現れます。魔法の機械が現れたように思って、これに依存しようとすれば、ひどい痛手を被る場合があるでしょう。そのような使い方で事故が起こると、反動として利用を禁止する動きが出てくるでしょう。しかし、それはもっと大きな危険を伴うでしょう。

生成系AIとの出会いで経験する3段階

対話型の生成系ＡＩに初めて接したとき、多くの人は、つぎのような３つの段階を経験します。

第1段階は、驚きとショックです。問いかけに対する反応が、知的な人間が話すような言葉で、すぐさま返ってくるからです。

ところが、しばらく使っているうちに、ＡＩの答えが間違いだらけであることが分かります。事実の誤り、論理の誤り、数学的な誤り等々。ＡＩの答えは、まったく信頼できないのです。

また、ＡＩの答えは、ウェブにある資料をまとめているだけのものに過ぎないことも分かります。つまり、ＡＩは、創造活動はできないのです。以上が第2段階。

そして第3段階。ＡＩの答えに間違いが含まれており、創造ができないことは分かったけれども、それを前提にした使い方がないか、と考えるようになります。どうすれば、うまく使いこなせるかを考え始めるのです。

対話型ＡＩは、使いようによっては、きわめて強力です。適切な使い方をすれば、これまで人間が行なっていた知的作業のうちの多くのものを、はるかに素早く処理してくれます。これは、知的な仕事を著しく効率化する手段なのです。

クリエイティブな仕事の周辺にある仕事を効率化してくれることの効果は、きわめて大きなものです。それができれば、人間はクリエイティブな仕事に集中することができます。そして、それに成功した人々の価値が高まります。

この意味で、対話型の生成系ＡＩの技術を、決して無視したり、軽視したりしてはなりません。本書は、このような立場から、生成系ＡＩの使い方を論じています。

私は、GPT-3で失望していた

前項で「３段階説」を述べました。実は、私の場合の経緯は、これとはやや異なります。私はChatGPTが登場する以前にGPT-3を試して、能力の低さにがっかりしていたのです。

GPT-3を用いた文章作成は、２０２２年には日本でも利用可能になっており、ウェブにいくつかのサイトがありました。この当時のものは、対話型ではなく、いくつかのキーワードを与えると、それを含む文章を出力するものでした。

試してみたのですが、まるで使いものになりませんでした。出力に時間がかかるし、内容も支離滅裂。そこで、「ＡＩはもの書きを失業させるか?〜人間の関与なしには書く仕事は結局は無理だが内容は大幅に変わる」という記事を書いたのです（現代ビジネス、２０２２年11月20日）。

ところが、この直後（11月30日）に、GPT-3.5を用いたChatGPTが公開されました。これに対して発した最初の質問のことは、よく覚えています。

「公的年金のマクロ経済スライドとは何か？」と尋ねたところ、「公的年金とマクロ経済の関係を説明するために用いるPowerPointのスライド」と誤解したようで、それがどのような効果があるかを長々と説明し始めたのです。

もともとGPT-3の能力に疑問を持っていたこともあり、この答えを見て、私はやはりだめだと失望し、ChatGPTを使う意欲を失ったのです。

ところが、２０２３年の2月末にマイクロソフトの検索エンジンBingが使えるようになり、再びマクロ経済スライドの質問をしたところ、正しい答えを出しました。私にとっての第1段階は、このときに生じたのです。生成系ＡＩが正しい答えを出す！

しかし、すぐに、前項で述べた法則に従って、第2段階が訪れました。Bingに鶴亀《つるかめ》算《ざん》を解かせたところ、「ツルが２・５匹、カメは４・５匹」という答えを出したのです。

誤りを指摘したところ、率直に認めて正しい答えを出したのですが、「もっと高度な鶴亀算の問題を解いてみませんか」と提案してきました。受けたところ、「足の数が、ツルは２本、カメは４本、そして亀は６本」という奇怪な問題を出してきました。

また、ChatGPTに連立方程式を解かせてみたら、間違った答えを出しました。素因数分解の問題を出したところ、ChatGPTは、27は素数だと言い出しました（もっとも、Bingは正しい答えを出し、ある大きな数の素因数分解をやってのけました）。

ただし、以上で述べたことに対しては、誤りを指摘したところ、率直に誤りを認めました。「高度な鶴亀算の問題」についても、人間なら「ここで亀と言ったのは空想上の動物です」と言い出しかねないですが、そうした不誠実なことは言いませんでした。

グーグルの対話型ＡＩであるBardは、デモンストレーションのときに宇宙望遠鏡の新発見について誤った答えを出し、そのため、アルファベット（グーグルの持ち株会社）の株価が一時下がりました。しかし、この程度の誤りは日常茶飯事です。こんなミスでなぜ株価が下がったのか、私にはまったく理解できませんでした。たぶん、投資家は生成系ＡＩを使っていなかったのでしょう。

同じ質問に対しても、時間をおいて問い直すと、正反対の答えが返ってくることがあります。ですから、出力された結果の内容を信じてはいけません。健康に関する質問には、十分に注意が必要です。間違った答えを信用して行動すれば、命にかかわりかねません。

「対話型生成系ＡＩ」とは

ＡＩにはさまざまなものがあります。本書で取り上げるのは、「生成系ＡＩ」（Generative AI）と呼ばれるもので、学習したデータに基づき、画像、文章、音声、プログラムコードなどを生成するＡＩのことです。

本書で取り上げるのは、このうち、文章を作成するものです。具体的には、オープンＡＩが開発したChatGPT、マイクロソフトが提供する検索エンジンBing、グーグルが開発した対話型のＡＩサービスBardなどです。

これらは、正確に言うと「対話型生成系ＡＩ」ですが、この言葉はあまりなじみがないため、本書では、「生成系ＡＩ」「対話型ＡＩ」「ＡＩ」「ChatGPT」などという言葉を、あまり厳密に区別せずに使っています。

生成系ＡＩでは、コンピュータがウェブなどからきわめて大量のデータを学習し（この過程を「機械学習」といいます）、それに基づいて、ある種の推論を行ないます。どのように学習し、推論するかに関して、さまざまな方法が開発されています。ChatGPT のような対話型ＡＩで用いられているのは、「大規模言語モデル」（ＬＬＭ：Large Language Models）と呼ばれているものです。

これは、大量のテキストデータを使ってトレーニングされた自然言語処理モデルです。ある文字に続く文字としてどれが高い確率かを判断しながら、文章を組み立てていく技法です（GPT は「Generative Pre-trained Transformer」の略で、事前学習をして自ら新たな文章を生成する言語モデルを指します）。

2　出力情報は間違いだらけだし、創造もできない

魔法の機械ではない

多くの人が、ChatGPT のような対話型生成系ＡＩは、あらゆる質問に対して個別事

情に合わせた答えを提供してくれる魔法の機械だと考えています。

しかし、これは誤解であり、錯覚です。対話型生成系ＡＩの能力は、実は非常に限られています。他方、いくつかの機能に関しては、きわめて優れたパフォーマンスを発揮します。

したがって、対話型ＡＩの得意なことと不得意なことを正確に理解することが、きわめて重要です。それは、対話型ＡＩを効果的に利用するために、必要不可欠なことです。

第1に必要なのは、対話型ＡＩが出力する情報が正しいとは限らないと認識することです。誤りの具体的な例は、第2章の1、2、3、4、5や、第4章の1、2などで述べます。事実やデータの誤りがあるし、論理的な誤りもあります。

この点についてBingは、「びっくりするような結果や間違った結果が出てくることがあります」と注意しています。そして、「結果が正しいとは限らない、これに依存すべきでない」と断っています。ChatGPTやBardも同様の注意書きを示しています。

これらの注意書きは大変重要なものですが、うっかりそれを見逃す人がいるかもしれません。

ChatGPTを説明する書籍なども、「出力には誤りが混入する場合がある」といった注意をしています。この表現は誤りではありませんが、不十分な警告だと思います。

利用者への注意としては、「生成系ＡＩの出力は、とくに事実やデータに関して、基本的に信用できません。したがって、絶対にそれに依存してはなりません」と書くべきでしょう。

そして、この警告文を目につかぬところに出すのではなく、誰の目にもとまるように出すべきです。なぜなら、これは「個々の利用の際に留意しておくべきこと」といったレベルのものではなく、「そもそも生成系ＡＩを、どのような目的のために利用するか？」という問題にかかわっているからです。

BingやBardは、マイクロソフトやグーグルという超優良大企業が提供しているものであるために、その情報が信頼できるという錯覚を、多くの人が抱いてしまいます。これは、大変危険なことです。

事実やデータに関する情報を入手するには、従来型の検索エンジンや印刷物に依存することが最善の選択です。

生成系ＡＩは創造活動もできない

ChatGPTのような生成系ＡＩは、創造的な活動を行なうこともできません。

例えば、映画や小説の続編を考えてほしいと頼んでも、期待したようなものは出てきません。俳句を作らせても、駄作ばかりが出てきます。これについては、第5章で詳しく論じます。

ChatGPTを使い始めたときに誰もが試すのは、商品名や書籍のタイトルを考えてもらうことでしょう。あるいは、広告のキャッチコピーを考えてもらうことです。例えば、書籍の目次や内容、想定される読者などを示し、タイトルを求めると、いくつかの候補が出てきます。コンピュータがこのようなことができるので、最初は驚きます。

しかし、これを続けていくと、あまり適切なものが出てこないことに気づきます。これはＡＩが創造力を持っていないためです。

私も、これまで書いた書籍についてタイトルを考えてもらう実験を何度か試みました。確かにいくつかのタイトルが得られましたが、驚くほどのものは、一つもありませんでした。広告のキャッチフレーズも同じです。

ChatGPTは創造的な活動ができないのです。新しいアイディアを生み出すこともできません。できるのは、ウェブのどこかにあるアイディアの寄せ集めに過ぎません。しかも、多くの場合、その結果は凡庸《ぼんよう》です。過度な期待は禁物です。

生成系ＡＩは、これまで人間が行なっていた、さまざまな知的活動の多くを効率化することができます。しかし、新しいアイディアを作り出すことはできません。それは人間にしかできないことです。

したがって、人間は、これまで自分が行なってきたさまざまな知的活動を生成系ＡＩに任せ、そして人間にしかできないこと、つまりアイディアの創造に集中すべきです。

もっとも、生成系ＡＩがまったく創造性に寄与できないわけではありません。ＡＩは、人間が創造的なアイディアを生み出すきっかけを捉えるのに役立つことがあります。例えば、ＡＩとの会話の中から、人間が新しい視点や、既存の情報の新しい組み合わせを見出したりすることは可能です（この具体的方法は、第5章の3で論じます）。

この場合、創造的活動に関する生成系ＡＩの寄与は、人間の創造性を補完することです。ＡＩが創造を行なうのではありません。ＡＩは、人間の創造的な思考を刺激するツールとして利用すべきです。

なお、ChatGPTは、質問者が作った作品の出来栄えを評価することもできません。正確に言うと、質問者が作った作品に対しては、否定的な評価をしないようにプログラムされているようです（第5章の2参照）。

文章を書くとき最も重要なのは、最初のアイディア

文章の作成は、生成系AIの最も重要な機能です。ただし、文章の基本となるアイディアは、人間が考え出さなければなりません。それだけでなく、細部に至るまで、人間が指示をする必要があります。AIは創造能力を持たないからです。AIが行なっているのは、人間が示す内容を、文章という形で表現するだけなのです。

ですから、「世の中をあっと言わせるような文章を書いてほしい」とだけ頼んでも、無理な相談です。「文学賞で入賞できる作品を書いてほしい」というだけの注文にも応えてくれません。

繰り返しますが、文章の内容は、人間が提示するのです。そして、頭の中に何もなけ

れば、ＡＩに指示することはできません。ＡＩが手伝ってくれるのは、人間の頭の中にあまり整理されていないアイディアがあるとき、それを筋道だった形の文章に表現する過程です。

したがって、文章を書く作業において最も重要なことは、当然のことながら、最初のアイディアであり、書くべきテーマの発見だということになります。これまでもそうであったのですが、それがますます明確になりました。生成系ＡＩを用いて文章を書く方法の詳細は、第４章で論じます。

アイディアを出す楽しい仕事をＡＩに任せるなど、もってのほか

文章を書く作業をＡＩに任せて手抜きをしたいのは、それが辛い作業だと思うからでしょう。

しかし、文章を書くのは、楽しいことです。楽しいことをなぜＡＩに任せようとするのか、私には理解できません。

われわれは、多くの場面で、アイディアを出すことを行なっています。研究者の仕事

は、新しい理論や考えを生み出すことです。こうした仕事に携わっている人の多くは、それが楽しいから行なっています。

企業でも、新商品の開発、新しいビジネスモデルの開発などについて、アイディアが求められます。あるいは、商品名や広告のコピーを考えることも必要です。これらも楽しい仕事です。これらのクリエイティブな仕事において、ＡＩの能力は人間に劣ると述べました。しかし、仮にそうでなかったとしても、楽しい仕事をなぜＡＩに任せるのでしょうか？

日常生活上のことや、趣味に関するアイディアでも同じです。例えば、料理のレシピをどうするか、旅行のプランをいかに立てるかというアイディアをChatGPTに出してもらおうとする人がいますが、私にはまったく理解できないことです。

こうしたアイディアを出すのは楽しいことです。私は、旅行で楽しいのはプランを立てることであり、実行しないで済むなら、そのほうがよいとさえ考えています。

私は園芸が楽しいと思っていますが、その理由は、いろいろな場面でアイディアを要求されるからです。限られたスペースをどのように活用するかなど、さまざまな工夫が必要とされます。咲いた花を鑑賞するよりは、どうやって咲かせるかを考えるほうが楽しいと思うときもあります。そうした楽しい作業をＡＩに任せるつもりなど、まったくありません。

3 生成系AIが得意なこと、不得意なこと

AIに創造はできないが、知的作業の力強い手助けになる

では、対話型ＡＩは、クリエイティブな仕事の補助として、どのように使えるでしょうか？ これまでいろいろ試行錯誤して、その方向感をつかむことができました。

本書では、これを第Ｉ部で述べています。あらかじめ概要を示せば、つぎのとおりです。

価値が高い利用法として、まず「翻訳」があります。例えば、内容を指定して、英文のメールを書いてもらう。あるいは、外国語の文献を指定して訳してもらうといった使い方です。

第2の用途は、「要約」です。文献を指定して、要約してもらう。これを見て、読む価値がある文献か否かを判断することができます。外国語の文献の場合は、翻訳の要約が得られるので、きわめて有用です。

大量の文書を凝縮して要約を生成したり、ある言語の文書を別の言語に翻訳したりする作業は、人間より生成系ＡＩのほうが効率的に行なうことができます。

第3は、「校正」です。メールや手紙のような短い連絡文について、敬語の使い方などを直してもらうことができます。それだけでなく、長い文章の校正を求めることも可能です。

第4は、資料やデータの「ありか」を教えてもらうことです。経済分析では、どこに有用なデータがあるかを知っていることが重要ですが、従来型の検索エンジンでは、必ずしも適切な答えが得られませんでした。

なお、ChatGPTを相手に雑談をすることもできます。何の目的もない、純粋な雑談です。話題の選び方が難しいのですが、うまくかみ合うと、楽しく有益な会話になります。

図表1-1　生成系AIが得意なこと、不得意なこと

分野	生成系AIの得意度	利用にあたっての注意
文章の翻訳・要約	○	AIはきわめて有能
文章の作成	△	内容は人間が考える
文章の校正	○	AIはきわめて有能
タイトルや見出し	△	あまり期待しないほうがよい
商品名、広告コピー	△	あまり期待しないほうがよい
資料やデータのありか	△	検索エンジンなどで確認が必要
事実やデータを知る	×	検索エンジンや印刷物に頼るべき
創造的活動	×	ただし、AIがきっかけを作ることも
作品の評価	△〜×	利用者の作品には肯定的な評価
雑談	○	話題の選び方によっては楽しい

　以上で述べたことをまとめると、図表1−1のようになります。

　周辺作業の能率を上げることによって、アイディアを考える時間を確保します。AIは仕事の手伝いとしては、きわめて有能です。ですから、うまく手伝わせることができれば、成果が得られます。こうした方向の可能性を探る人が成功するでしょう。

　本書は、このような基本的な理解に立ち、アイディア発想の補助作業に生成系AIをいかに用いることができるか、そのための具体的な方法を第2章から第5章で示します。

そして、人間にしかできないアイディア発想作業をどのように行なったらよいか、そのための具体的な方法を第Ⅱ部で示します。さらに、ＡＩが社会に与える影響を第Ⅲ部で論じることとします。

4 プロンプトエンジニアリングとは

「プロンプトエンジニアリング」の登場

ChatGPTやBing、Bardなど対話型ＡＩの利用は、会話によって進行します。会話は、利用者が画面のコマンド欄に文章を書き入れることによって開始されます。この文章は、「プロンプト」（指示文）と呼ばれます。

生成系ＡＩを用いる際に、プロンプトがきわめて重要な役割を果たします。さまざまな指示をする際、どのようにプロンプトを書くかが、成果を大きく左右します。

適切な結果を得るためには、適切な指示を出す必要があります。そこに、人間の創造力が現れます。対話型の生成系ＡＩの利用拡大に伴って、人間の創造力がますます重要なものとなるのです。

「プロンプトエンジニアリング」という言葉を見かけるようになりました。これは、プロンプトをどのように書いたらよいかをアドバイスするものです。

これに関連したセミナーが日本でも開催され、活況のようです。ウェブには、「プロンプトエンジニアリング」を名乗るサイトがいくつも立ち上げられています。生成系AIという新しい技術に対する人々の期待が、いかに大きいかが分かります。

プロンプトエンジニアリングは、これからますます重要な技術となるでしょう。プロンプトエンジニアリングが一つの専門領域として確立され、大学で研究や教育が行なわれるようになるでしょう。

すでに、いくつかの教科書がある

プロンプトエンジニアリングに関するいくつかの文献が、すでにウェブ上で利用可能となっています。基本的な文献の一つとして、つぎのものがあります。

https://github.com/dair-ai/Prompt-Engineering-Guide

日本語訳が、以下のように提供されています。https://www.promptingguide.ai/jp/

ただし、長文なので、読むのは大変です。ChatGPTを初めて使う人は、「プロンプトをデザインする一般的な「Tips」のあたりから読むと、有益なアドバイスが得られるでしょう。

また、「プロンプトエンジニアリング技術」（「エンジニアリング技術」とは奇妙な訳です！）にある「Zero-Shotプロンプティング」（いきなり質問する方法）、「Few-Shotプロンプティング」（例を与えて、学習させる方法）の技術なども有用です。

プロンプトエンジニアリングは有用だが、その前に必要なこと

前記の文献も含め、プロンプトエンジニアリングで論じられている内容は、プロンプトの書き方に関する技術的な詳細に集中しています。しかし、その前に重要なのは、どのようなタスクをChatGPTに依頼するかです。つまり、ChatGPTに「何を求めるか？」です。この観点からすると、現在のプロンプトエンジニアリングが適切かどうかに疑問が残ります。

それらのアドバイスは有用ですが、その前に必要なのは、「何に使ったらよいか？」を適切に把握することです。このため、本章の2、3で論じた内容を正確に把握していることが重要です。

利用者の要望をどれだけ適切に伝えられるか

プロンプトを作る際に重要なことは、利用者である私たちが何を求めているのかを、的確に伝えることです。

親しい友人に会ったときであれば、「何か面白い話題はない？」といったひと言で会話が開始されるでしょう。互いのことをよく知っているのですから、とくに意識しなくとも、適切なテーマについて適切なレベルでの会話が自動的に進行します。

しかし、ChatGPTやBingを相手にする場合には、そうはいきません。こちらは対話型ＡＩがどういうものであるかをおよそは知っていますが、相手は、私がどのような人物であり、何を求めているかを、まったく知らないからです。私が「何か面白い話題はない？」とか、「何かよいアイディアはないですか？」と問いかけても、対話型ＡＩ

としては、どのようなテーマをどのようなレベルで取り上げたらよいのか見当がつかず、途方に暮れるでしょう。

書籍のタイトルを考えてもらう場合には、目次や概要、想定読者を示すことで内容を伝えることができます。しかし、商品名を考えてもらう場合、商品の詳細を伝えることは簡単ではありません。さらに、開発中の商品の詳細を入力してしまうと、機密情報が漏れる可能性もあります。

あるいは、直面している問題に対する解決策を求める場合、その問題をどのように伝えるかが課題となります。詳細に説明すれば、プライバシーが侵される事態になりかねません。解決策を相談したい事案は、プライバシー上の問題にかかわっている場合が多いはずです。迂《う》闊《かつ》に相談を持ちかけるのは危険です。

こうした問題にどう対処すべきかも、プロンプトエンジニアリングの重要な課題です。

すぐに使えるプロンプト集

〈○○について教えてください〉というようなプロンプトであれば、それを

ChatGPT（あるいはBingやBard）のコマンド欄にいちいち書き込むのは、それほど面倒ではありません。しかし本書で考えているような指示を与えるためのプロンプトは、かなり長文のものになります。このような長いプロンプトで詳細に指示を与えないと、望む結果を得られない場合が多いのです。それをいちいちコマンド欄に書き込むのでは、面倒で、実用になりません。

そこで、頻繁に使うプロンプトの例文を、noteに作成しました。左に示すＱＲコードで簡単に開くことができます。ぜひご利用ください。

実際に用いる場合には、まず、このサイトから必要なプロンプトをコピーし、手元のファイルに貼り付けます。そして、処理対象となる文章を、プロンプトの下に貼り付けます。つぎに、プロンプトと文章を一緒にコピーして、ChatGPTなどのコマンド欄に貼り付けます。このようにして、長いプロンプトであっても、いちいち書き込まなくとも、簡単にChatGPTなどで利用することができます。

このＵＲＬをブックマークに登録し、ＰＣのデスクトップ画面に貼り付けておけば、必要なときにすぐに開くことができます。

第2章 生成系AIは平気で嘘を言う

1 生成系AIの出力を信じれば、破滅的な事態になる

ChatGPTを信じれば、破滅する

第1章の1で述べたように、生成系AIの出力には誤りがあります。これに十分注意することが、生成系AIの利用にあたって最も重要な点です。それにもかかわらず、これを無視する人がいます。

2023年5月に、アメリカの弁護士がChatGPTの出力した判例を民事裁判の資料として使用したところ、虚偽のものであることが発覚し、問題となりました。こんなこ

とをする人がいるとは、信じられないことです。資格を剥奪《はくだつ》されても当然でしょう。いやその前に、この弁護士に仕事を依頼する人はもういないでしょう。

　この例から分かるように、生成系ＡＩの出力情報を信じて利用することの結果は、破滅的なものとなり得ます。

　多くの人が、生成系ＡＩは質問をすれば、正しい答えを出してくれる魔法の仕掛けだと思っていますが、それは間違いです。

　ChatGPTは、２０２１年９月までのデータについてしか学習していません。ですから、それ以降の出来事に関してはまったく無知です。したがって、最近の出来事についてデータや知識を得ようと思っても、もともとできません。

　それにもかかわらず、ChatGPTは、そうした問いに対して答えを提供します。例えば、「２０２３年のＧ７広島サミットで何が議論されましたか？」と聞くと、もっともらしい答えを出力します。この場合には、明らかに虚偽と分かりますが、はっきりと判別できない場合が多いので、注意が必要です。

AIは悪意を持たない

ＡＩの出力が信用できない理由として、「学習に用いたデータの質が問題だから」と言われます。あるいは間違った情報を意図的に流して、世論調査を操作する危険も指摘されます。

もちろん、そうした問題もあり得ます。しかし、現実に生じている問題は、そうした性質のものではありません。

学習したデータの大部分は正しい情報だと思いますが、ChatGPTは、それらと誤った情報の区別ができない。あるいは、学習した情報を誤った対象に適用しているのです。

例えば、Bingに統計データを尋ねると、参照しているサイトのＵＲＬを示しますが、政府統計などの一次データではなく、怪しげなサイトにある二次データを参照している場合がしばしばあります。

経済データの分析にあたっては、信頼できる情報をどこで得られるかを知っていることが重要なノウハウなのですが、Bingにはそのような判別ができないようです。この点から言えば、従来型の検索エンジンのほうがはるかに信頼できる情報源です。

「神はたくらみ深いが悪意を持たない」(Raffiniert ist der Herrgott, aber boshaft ist er nicht) とは、アインシュタインの有名な言葉です。

ＡＩは、神のようにたくらみ深くはありませんが、悪意を持たない点は同じです。ＡＩは間違いを犯しますが、それは、ＡＩが悪意を持っているからではありません。問題が起こるのは、人間がＡＩの使い方を誤っているからです。

ですから、それに対処するのは、悪意を持つ人間を相手にする場合よりは、ずっと容易なはずです。賢く利用することが重要なのです。

2　資料の要約には便利

要約を見て、読む価値があるかどうかを判断する

では、生成系ＡＩから有益な情報やデータを得るための「賢い方法」とは何でしょうか？

最も簡単なのは、信頼できると分かっている資料を示して、その内容を要約したり、

翻訳したりしてもらうことです。この過程では、誤った情報はおそらく混入しないでしょう。

〈つぎの文章を500字程度に要約してください〉などと指示し、そのあとに文章を貼り付けます。〈箇条書きで5つの項目にまとめてください。全体で500字程度に〉などと指定することもできます。

かなり長い文章であっても、500字程度に要約してもらえば、おおよその内容を知ることができます。これより長い要約がほしいときもありますが、あまり長くても要約としての意味がありません。また、あまり長いと、ChatGPTなどが受け付けてくれません。

文章を読む作業は、日常的なものです。したがって、要約サービスを利用して文章の大意を捉えられることは、誰にとっても便利で、ありがたいことです。要約を見て、読む価値がある文献か否かを判断することができます。読む価値があると判断できたら、腰をすえて原資料を読めばよいのです。この方法によって情報収集能力が著しく向上します。ディスカッションペーパーなどの内容を素早く把握できます。

　また、外国語の文献の場合は、翻訳の要約が得られるので、とりわけ便利です。言葉の壁に悩んできた日本人にとっては、海外の情報へのアクセス手段として大変重要です。

　要約は、ChatGPTでもBingでもBardでもやってくれます。ほとんどの場合に、満足すべき結果が得られるでしょう。

PDFの場合

　要約してほしい文章がテキストファイルになっていれば、コマンド欄に貼り付けることができます。ではPDFの場合はどうでしょうか？　ワードはPDFを簡単にワードファイルにしてくれるので、それを貼り付ければよいのですが、いちいち変換するのは面倒です。

　私はWindowsで処理しているデータをマイクロソフトのOneDriveに保存しているので、文書のURLを伝えることはできます。しかし、ChatGPTは、それを読むことができないとの返事でした。BingやBardは読むことができます。ただ、こんなことをしてセキュリティ上問題がないのかと、心配です。ワードファイルなどの共有は日常的にやっているので、同じことなのだと思うのですが、不安はあります。要約のためにセキュリティ上の問題を起こしては元も子もないので、この方法は控えています。

ChatPDFというウェブサービスを使うと、ＰＤＦを処理できます。まず、メールで送付されてきたり、ウェブで入手したりしたＰＤＦを、ダウンロードします。そして、ChatPDFのサイトにアクセスし、アップロードしたいＰＤＦを選択します。すると、その要約が表示され、さらに、いくつかの質問も提案されます。その他の質問を行なうことも可能。1ファイルにつき１２０ページ以下、1日に3ファイルまでなら無料です。それ以上の利用が必要なら、月額5ドルで「Plus」プランにアップグレードします。

ただし、文字だけのファイルであれば、ダウンロードしたファイルをコピーして、直接にChatGPTのコマンド欄に貼り付けることができるので、とくにChatPDFに頼らなくとも済むでしょう。

ウェブにある文章の要約を頼めるか

ウェブに掲載されている文章であれば、文章を貼り付けるのでなく、記事のＵＲＬやタイトルを示すだけで要約してくれるように思えます。もしこれができれば、非常に便利です。

しかし、実際に試してみると、問題があります。

なお、ChatGPTは、もともとインターネット上のサイトを読めないとしているので、以下で述べるのは、BingやBardに関することです（ただし、有料版であるChatGPT-4では、2023年5月にプラグイン〈拡張機能〉のサービスが利用できるようになりました。これは、外部のサービスをChatGPTの一部として取り入れる仕組みです。これによって、ウェブの記事を読めるようになりました。ただし、有料の記事については、「読めない」という答えが返ってきます）。

まず、記事を厳密に指定しないと、間違った記事を読むことがあります。同じサイトにある別の記事など、指示したのとは異なる記事を読んでしまう場合もあります。URLだけ、あるいはタイトルだけを示すと、このような事故が起こりやすくなります。URLとタイトルの両方を示すと、指示した記事を読んでくれる可能性が高くなるように思いますが、必ずそうしてくれるかどうかは分かりません。

さらに問題なのは、内容を本当に読んでくれたのかどうか、疑問に思われる場合が多いことです。

要約を依頼すると、正しい記事に書かれていることに関連した内容が出てくるので、まったく見当違いのことを行なっているわけではないと思いますが、何かおかしいと感じることがあります。十分に読んでおらず、適当な内容を作り上げている可能性もあると思います。それらしき内容なので、だまされてしまう可能性があります。

仮に記事のＵＲＬとタイトルを示すだけで、生成系ＡＩが記事を正確に読んでくれれば、その要約や翻訳を簡単に依頼できるので、非常に便利です。しかし現状では、誤った記事を読んでしまうリスクのほうが大きいと思われます。なお、これに関連した問題を、本章の５と、第12章の５で再び取り上げます。

「幻覚」という厄介な問題

以上のように、生成系ＡＩは、インターネット上の情報を読むのですが、正確に読んでいない場合がある（あるいは、そのような場合が多い）ということになります。

もし答えがまったく見当違いであれば、間違っていることが分かります。しかし、出力するのは、それらしき内容です。そのため、多くの人は信じてしまうでしょう。

第1章の2で述べたように、生成系ＡＩは、これに対して警告を出しています。ですから、問題が起こった場合の責任は、Bing や Bard の側にあるのではなく、利用者の側にあります。

しかし、利用者がこの注意書きをどの程度重大なものと捉えているかは、疑問です。そして、出力結果を正しいものと受け取り、そのまま使用してしまうことは十分にあり得ます。

インターネット上には、信頼できない記事が溢れています。そのとおりなのですが、生成系ＡＩは正しい内容の記事であっても、それを誤って伝えてしまう場合があることになります。

ただし、これは、生成系ＡＩが利用者を欺《あざむ》こうとして、意図的に行なっていることではありません。機能が不完全なため、このような問題が発生してしまうのです。これは、「幻覚」または「幻視」(Hallucination：ハルシネーション)と呼ばれる現象です。

生成系ＡＩにインターネットの記事の要約や翻訳を頼るのは、かなり危険です。前述したような問題を防ぐには、本節の前半で述べたように、記事をコピーしてテキストファイルにし、それを貼り付ける必要があります。

コピーするためには、目的の記事を入手していることが必要です。「すでに入手している資料をAIに読ませても何の意味もない」と思われるかもしれません。しかし、それは違います。その資料を要約したり翻訳したりしてもらえるのは、便利なことです。とくに、外国語の文献を要約してもらえるのは、非常に便利です。こうした作業に関しては、生成系AIの出力を信頼することができます。

なお、仮に生成系AIがインターネット上の情報を正しく読めると、今度は別の問題が生じます。これについては、第12章の5で論じます。

3　有益な文献や統計データのありかが分かるか

AI司書に資料のありかを教えてもらえるか

有益なデータがどこにあるかが分からない場合に、それを生成系AIに教えてもらうことはできるでしょうか？　つまり、図書館にいる司書に頼むのと同じことを、やってもらえるでしょうか？

従来型の検索エンジンでは、表示されているサイトの中に、本当に自分の知りたい情報が入っているかどうかを知ることが、必ずしもできませんでした。上位に表示されているサイトであっても、こちらが要求する情報がない場合があります。

これを補助するために、さまざまな手段が作られていました。検索エンジンでの「図表検索」もその一つであり、経済データの場合には、かなり便利に使えます。そうであっても、目的のデータに直行できるわけではないので、必ずしも目的のデータが見つかるわけではありません。

ＡＩ司書は、これと同じようなことを、もっと効率的にやってくれる可能性があります（ただし、ChatGPTは４・０でも、２０２１年9月までのデータしか学習していないので、最近のデータを知りたい場合には使えません）。

そこで、例えば「将来の社会保障費の推計について、政府が行なっている推計がどこにあるかを教えてください」「賃金の国際比較について、国際機関が作っている最も信頼できる統計はどれですか？」などと聞いてみます。

Bingは、サイト名を示すだけでなく、簡単な内容も表示してくれるので、便利だと感じます。また、「最近の新聞記事から適切なものを」という指定もできます。新聞名を指定することもできます。

なお、Bardは、データの出所を教えてくれません。ChatGPTは、依頼すればＵＲＬを教えてくれるのですが、まったくのデタラメである場合があります。

AI司書は混乱することもある

ただし、ＡＩ司書は図書館の司書のように信頼はできません。ＡＩ司書は混乱することが多いのです。あまり信頼できそうもない資料をあげたり、あるいは、そもそも存在しない文献をでっち上げたりします。私も、でっち上げの論文によって何度も翻弄《ほんろう》されました。

また、ＩＭＦ（国際通貨基金）や世界銀行などの信頼できるデータソースではなく、聞いたこともないサイトを参照したりします。どんなサイトかを確かめるためにそのサイトに接続しようとしたら、「危険」という表示が出たことがあります。そして、「ここにアクセスすると、パスワードを盗まれるかもしれない」という注意書きが現れました！ このようなサイトを参照しているとは、危険極まりません。信じられないことです。

ＡＩ司書は、しばしば、こうした錯乱状態に陥ります。ただし、本章の最初に述べたように、悪意があり利用者を陥れようとしてやっているわけではありません。単に能力が低いだけです。これをわきまえた上で、賢く使うことが必要です。

４ 生成系ＡＩが出力するデータは信頼できない

情報を直ちに示すので、利用したい誘惑にかられる

ＥＢＰＭ（エビデンス・ベイスト・ポリシー・メイキング：統計データを始めとする科学的根拠に基づいて政策立案などを行なうこと）が重要と言われます。

エビデンスで非常に強いものの一つは、統計データです。統計データを得るため、こ

れまでは検索エンジンを用いていました。
ただし、検索エンジンを用いて統計データを得るのは面倒です。示されているサイトのどこに目的のデータがあるのか分からない。データを見つけても、処理しにくい形で示してあることが多いので、さまざまな加工が必要になる、等々の問題があります。

ところが、Bing や Bard などは、知りたい情報を直接に教えてくれます。また、「表の形で示せ」と言うと、見やすい表の形で示してくれます。知りたいデータがすぐに分かるので、利用したい誘惑にかられます。

例をあげましょう。Bing や Bard に対して、「２０１０年から２０１９年の各年につき、非正規雇用者の平均賃金の対前年上昇率の推移を、男と女に分けて示してください」と入力したところ、表の形での回答が直ちに打ち出されました。あまりの速さに仰天！

この結論を得るために、私はかなりの作業をしました。ところが、Bing や Bard を用いれば、同じ結論があっという間に得られます。Bing や Bard を使うことによる生産性上昇効果は、おそるべきものになるように思えます。

Bingや Bardの情報は信用できない

　しかし、問題は、Bing や Bard が出した結果を信用できるかどうかです。多くの場合、間違っています。右の実験結果の答えも、見事に間違っていました。

生成系ＡＩは、ＥＢＰＭに役立たないどころか、有害であることを、正しく認識すべきです。

　生成系ＡＩに頼るのでなく、信用できるサイト（できれば一次情報源）からデータを入手することが絶対に必要です。日本のデータであれば、政府や日本銀行のサイトです。外国のデータであれば、外国政府のサイト、そして、ＩＭＦや世界銀行、ＯＥＣＤ（経済協力開発機構）などの国際機関のサイトです。

　経済分析にあたって重要なのは、どこに信頼できるデータがあるかを知っていることです。私はこの問題について長年悩まされ、調べ続けてきたので、日本と外国の経済データについて、どのサイトのどの表によいデータがあるかを示すリンク集を作成しました。この情報は、多くの人に有益と思いますので、つぎのサイトに公開してあります。下に示すＱＲコードで簡単に開くことができますので、ご利用ください。

５　生成系ＡＩを用いて、自然言語でデータを取得できないか

面倒なデータ取得作業で「手抜き」したい

私は経済データを頻繁に扱っています。サイトを開き、表を選び、そこにあるデータをコピーしてエクセルの表に貼り付け、分析します。データベースになっているなら、それを操作して目的のデータを求めます。

こうした作業は面倒だと思います。また、データがエクセル形式で提供されていないこともあります。

そこで、生成系ＡＩを用いてデータ取得を自動化できないかと考え、Bing または Bard を用いて実験してみました。

なお、ChatGPT はインターネット上の記事を読めないので、以下の実験では、Bing や Bard を用います。

第2章の2で述べたように、有料版であるGPT-4では、２０２３年5月からプラグインの利用が可能になりました。これを用いるとChatGPTでインターネット上のサイトを読むことができます。無料で公開されている記事であれば、確実に読むことができ、その要約などを頼むことができます。ただし、以下で行なうようなデータ取得作業を依頼すると、「できない」という答えが返ってきます。

多くの人々は、文章を書くのに手抜きをしたいと考えています。私は、文章を書くのは楽しいことだと思っているので、手抜きをするつもりはありません。しかし、データ収集の作業は、何とか手抜きをしたいと考えています。もしそれが可能であれば、私の仕事のやり方は根本的に変わるでしょう。

先に示したリンク集を用いれば、求めるデータがどのサイトのどこにあるかが分かります。では、BingやBardに頼んで、そこから特定のデータだけを取り出して、見やすい形で表示してもらうことは可能でしょうか？

もしこれが可能なら、いちいちサイトを開いて、表までたどり着く手続きが不要になります。さらに、サイトのデータをＣＳＶデータに直してくれれば、それをコピーしてエクセルで作業することができます。このように、データ分析作業は著しく効率化します。

そこで、いくつかのサイトについて実験をしたのですが、結果は惨憺《さんたん》たるものでした。これは「ウェブスクレイピング」という難度がかなり高い操作で、うまくいかなかったのも当然です。これについては、本節の最後の項で再論します。

エクセル形式でないデータを読めない

日本銀行のサイトにある輸入物価のデータはよく使うのですが、エクセル形式になっていないので、使いにくい。そこでつぎのようにBingとBardに指示しました。

①〈企業物価指数（２０２３年４月速報） https://www.boj.or.jp/statistics/pi/cgpi_release/cgpi2304.pdf を開いてください〉

②〈輸入物価指数、円ベース、前年比の数字を２０２２年３月から２０２３年３月まで示してください〉

この指示に対しては、前年比でなく、指数らしきものを出力しました。まったくの間違いです。

つぎに、消費者物価の最近の状況を示してもらおうと、つぎのように指示しました。

①〈総務省統計局、消費者物価指数（https://www.stat.go.jp/data/cpi/）の最新版を開いてください〉

②〈「更新情報」の中の「２０２０年基準消費者物価指数全国」を開いてください〉

③〈今月の結果（冊子）の最新版を開いてください〉

④〈開けましたか？　これは何年何月のものですか？〉

⑤〈そこにある表1「総合、生鮮食品を除く総合、生鮮食品及びエネルギーを除く総合の指数及び前年同月比」に示されている「生鮮食品を除く総合」の前年同月比を、表の形で示してください〉

以上の指示に対して、④までは正しく進み、⑤に対する答えは出てくるのですが、デタラメの数字でした。

エクセルデータでも微妙に間違える

前項の実験は、データがエクセル形式になっていないために、難しいのかもしれません。そこで、エクセル形式で提供されているデータについて、つぎのように指示しました。

①〈国立社会保障・人口問題研究所、日本の将来推計人口（令和5年推計） https://www.ipss.go.jp/pp-zenkoku/j/zenkoku2023/pp_zenkoku2023.asp を開いてください〉

②〈「アクセスの多いEXCELデータはこちら」にある表１－１を開いてください〉

③〈年齢３区分別の割合を、２０２０年と２０４０年につき、表の形で示してください〉

得られた結果のうち、２０４０年について示すと、図表２－１のとおりです。正解と似た数字ですが、微妙に違います。

図表2-1 2040年における年齢3区分別人口の総人口に対する比率

	～14歳	15～64歳	65歳～
Bardの答え	0.11	0.506	0.384
正解	10.1%	55.1%	34.8%

データベースなら？

データベースなら、正確な数字が得られるかと思い、今度は、つぎのように指示しました。これは、データベースを開いて、データをダウンロードさせる指示です。

①〈消費者物価指数 https://www.e-stat.go.jp/stat-search/files?page=1&toukei=00200573&tstat=000001150147 を開いてください〉

②〈長期時系列データ［127件］、品目別価格指数［60件］、全国［30件］、月次［14件］を開いてください〉

③〈3 中分類指数 前年同月比（1971年1月～最新月）、CSVを開いてください〉

④〈生鮮食品を除く総合、202201 から 202304 の数字を示してください〉

これでもだめです。②まで進み、つぎに③の段階で、前年同月比でなく指数のページを開いたので指摘したところ、③までは進みました。しかし、指定したのと違う期間の数字を読んでしまいます。

ＩＭＦのデータベースからも間違った数字を抽出

日本のデータベースではだめなのかと思い、ＩＭＦのデータベースを試してみました。Bing と Bard に、つぎのように指示します。

①〈IMF,WEO Database https://www.imf.org/en/Publications/WEO/weo-database/2023/April を開いてください〉
②〈By Countries を開いてください。ALL COUNTRIES を開いてください。Japan、United States を選択してください〉
③〈CONTINUE を押してください。Gross domestic product per capita, current prices U.S. DOLLARS を選択してください〉
④〈CONTINUE を押してください。Start Year を２０１５とし、End Year を２０

２２としてください。PREPARE REPORT を押してください。DOWNLOAD REPORT を押してください〉

⑤〈得られたデータを示してください〉

Bing も Bard も指示どおりに進み、データを示します（Bard は瞬時に表示しました！）。

しかし、間違ったデータです。正しいデータと似通った数字なのですが、微妙に違っています（その一部を、図表２－２に示します）。また、Bing と Bard の結果は食い違っています。どうしてこうなるのか、不思議です。

「できない」と正直に言ってくれればよいのですが、答えを出す。しかも、いかにもありそうな答えであるため、信じてしまいがちなのです。それらしきデータなので、使う人がいるかもしれません。すると、混乱が起きる危険があります。

図表2-2　日本の一人あたりGDP（ドル）

	Bardの答え	正解
2015年	41,959	35,005
2022年	50,991	33,821

混乱を起こそうと、わざとそれらしきデータを出しているのではないかと疑いたくなります。本章の1で「AIは悪意を持たない」と述べたのですが、その信念がぐらつきます。

以上で述べた例だけではありません。その後も、対象サイトを変え、指定の方法を変え、何度も実験してみました。しかし、ことごとく失敗。

ただし、例外が1回だけありました。それは消費者物価指数のサイトにある数字をBardが正しく読んだことです。

もっとも、このとき指定したページには、数字が6個しかありませんでした。そのうちの1個を読んでほしいと指示しただけのことですから、正しい答えが返ってきても当然。人間なら、小学生でもできることです。

なお、プラグインを用いたChatGPTは、IMFのサイトを読んでデータを取り出すことはできません。テキストを読むことはできても、操作はできないのです。また、表の中から特定の条件に合った数字を引き出すこともできません。

結局のところ、現在の生成系AIができるのは、テキストのデータを読んだり、要約したりすることだと言ってよいでしょう。

「子供の使いも満足にできない」と知って安堵

これだけ厳密に指定しても、あやふやな答えしか得られないのですから、諦めるほうが賢明です。現在の生成系ＡＩは、「自然言語での指示に従い、指定されたデータを読んで、提示する」という能力を持っていません。

つまり、統計データに関する作業の中で最も簡単な作業についても、助手の役割を果たすだけの能力を持っていないのです。「子供の使いも満足にできない」と言ってもよいでしょう。

このように、生成系ＡＩの利用可能性は、多くの人が思っているよりも、ずっと小さいのです。日本政府はＡＩの利用に積極的ですが、深刻な事故を起こさないかと心配です。

特定のサイトからデータを抽出することを「ウェブスクレイピング」といいます。

ウェブスクレイピングには、Python《パイソン》のような高度のプログラミング言語が必要です。また、相手のサイトの構造がどうなっているかにも依存します。このため、かなり難しいタスクです。

私が試みたのは、生成系ＡＩが、この手続きを自然言語の指示によって実行してくれないかということです。現在の生成系ＡＩにはこれができないことが、実験の結果、分かりました。

実を言うと、それを知って、安堵しました。これは奇妙な感覚で、うまく説明することが難しいのですが、大変革に対する恐怖が心の奥底にあるからだと思います。

何たる保守頑迷！　何たる小心！

ただし、この点については、生成系ＡＩの能力が将来改善される可能性は十分にあります。実際、前述のように、すでにデータベースを操作して、目的の数字の一歩手前まで到達しているのです。

２０２２年の夏頃、GPT-3を使ってみましたが、理解不能な文章しか出力できませんでした。わずか1年の間に、生成系ＡＩの能力は驚くほど進歩しました。指示に従ってデータベースを操作することなど、1年前には想像もつかなかったことです。

近い将来に、一般の人が生成系ＡＩを用いて、自然言語でのウェブスクレイピングが簡単にできるようになるかもしれません。そうなれば、データ分析の仕事は劇的に変わるでしょう（ただし、ウェブの記事一般についてウェブスクレイピングができるようになると、別の問題が生じる可能性があります。これが、12章の5で論じる問題です）。

6 データベースとChatGPTの連携は、企業のデータ利用を大きく変える

ChatGPTをデータベースに連携させる

前節で述べたように、生成系ＡＩに統計データについて問い合わせると、誤った答えを出します。こうしたことになるのは、生成系ＡＩ（BingやBard）などをそのまま利用するからです。

特定のデータベースにＡＰＩを介して接続し、ChatGPTを用いてデータを読み出す方法を用いれば、このような問題は発生しません（ＡＰＩとはApplication Programming

Interface の略で、ソフトウェア同士が情報をやりとりするための窓口）。

ChatGPTと自社データのＡＰＩ接続を行なうサービスは、音声応答などのカスタマーサービスに関して、すでにいくつも提供されています（第11章の1参照）。これと同様のことをデータベースに関して行なうのです。

このような利用法は、開発されつつあります。スタートアップ企業のリーガルスケープは、GPT-4をＡＰＩで利用し、法律専門書のデータなどを参照できる対話型ＡＩを開発しました（「生成ＡＩ、『合格水準』」。日本経済新聞、２０２３年6月13日）。

司法試験の一部科目を抽出して回答させたところ、正答率は約71・4％で、平均的な合格ラインとされる60％を上回りました。ChatGPTをそのまま使った場合には、同じ問題での正答率は約40％だったそうです。

データドリブン経営が可能になる

このようなサービスは、さまざまな分野で誕生するでしょう。企業は、自社のデータベースにＡＰＩを介して接続し、ChatGPTでそのデータを取り扱うシステムを構築するでしょう。

こうしたシステムが構築されれば、経営者は、自然言語で質問を投げかけることによって、いつでも必要なデータを簡単に取得できます。データベースにあるデータだけでなく、それらをさまざまな方法で加工したデータを指示して、すぐに閲覧することができます。例えば、適切なグラフとして表示したものを見ることができるでしょう。

現在では、経営者は分析担当者に指示を出して、必要なデータを分析・整理させ、それを見ています。このような手間が不要になり、必要なデータを自分でChatGPTに自然言語で指示して、取り出せます。

そうなれば、データドリブン経営（経営者の勘や経験だけに頼らず、客観的な企業データをもとに戦略を立案し、施策を実行する経営）が可能になります。元のデータベースが適切に整備されていれば、リアルタイムのデータドリブン経営もできるでしょう。こうしたシステムを構築した企業とそうでない企業の業績の差は、著しいものとなるでしょう。

金融機関とのAPI接続で、中小企業も活用できる

以上のような利用法は、自社のデータベースを構築している大企業だけが利用できるものと思われるかもしれません。適切なデータベースを整備していない中小零細企業には縁がないもののように見えます。

しかし、必ずしもそうではありません。金融機関とのＡＰＩ接続を用いれば、中小企業も同様のシステムを活用することが可能です。現在、銀行のデータはＡＰＩ接続が可能となっており、ウェブ会計などに利用されています。これを経営目的に応用するのです。

この場合、参照できるデータは金融機関との取引データだけですが、それらのデータを利用するだけでも、企業の状況をリアルタイムで把握することが可能でしょう。

人間に求められるのは、最終的な判断

私が望むのは、統計データの自動取得です。本章の5で述べたように、現在の生成系ＡＩ（Bing や Bard）を用いるだけでは、さまざまなデータサイトから自然言語でデータ

を取り出すことはできません。

しかし、本節で述べたのと同じように、データサイトとＡＰＩ接続することによって、自然言語を用いて望むデータを望む形で得られるサービスを構築することが可能と考えられます。そうしたサービスが提供されるようになれば、データ分析作業は大幅に効率化されるでしょう。

こうしたことが広く行なわれるようになれば、これまでデータの解析に関与してきた人々が不要になるという事態も考えられなくはありません。利用者が、望むデータを直接手に入れることが可能になるからです。

重要なのは、どのようなデータを求め、そのデータを見て、どのように判断するかです。もちろん、これまでもこの点が重要だったのですが、そうした仕事の重要性が、いままでよりずっと高くなるのです。

公共財として提供すべきサービスも

問題は、以上のようなサービスを利用するコストです。ChatGPT のＡＰＩ接続には、費用がかかります。ですから、これらのサービスを無料で利用するわけにはいきません。また、企業が自社のデータベースに接続する仕組みを作るにもコストがかかります。

すると、コストを支払える人々だけがこのサービスを利用でき、そうでない人々はこうしたサービスを利用できないことになります。その結果、富める者はますます富み、貧しい者がますます貧しくなるといった事態が懸念されます。

これまでのインターネット上のサービスは、検索やメールなど、無料で利用できるものがほとんどでした。このため、右のような問題は起こりませんでした。

こうしたサービスの利用を通じて得られるデータを用いてプラットフォーム企業がプロファイリングを行ない、それをターゲティング広告に取り入れて膨大な利益を上げたという問題はありましたが、それは利用者に直接の負担を強いるものではありませんでした。生成系AIの利用に伴う前記の問題は、これとは性格が異なるものです。

企業が経営上用いるサービスの利用に、コストを払うのは当然です。しかし、統計データのようなものは、公共財としての意味を持っていると考えることができます。そうであれば、統計データにChatGPTを用いる仕組みは、無料で提供し、誰でも利用できるものにすべきでしょう。

日本政府は、ChatGPTを国会答弁に用いるなどということを考えるのでなく、この問題をこそ真剣に取り上げてもらいたいものです。

第3章 ChatGPTで単純知的作業を効率化する

1 メールの校正をしてもらう

まずは、あまりクリエイティブでない仕事に使う

対話型生成ＡＩは、いろいろなことに使えます。ただし、これまで述べたように、事実やデータに関する出力が信用できないことを考えれば、まずは、クリエイティブでないルーチン的な仕事に使うのがよいと思います。

本章では、そうした使い方として、具体的にどのようなものがあるかを示します。これだけでも、仕事の能率がかなり上がります（クリエイティブな仕事の補助については、第4、

5章で述べます）。

クリエイティブな仕事を行なっている場合、実際には、クリエイティブでない仕事に多くの時間を使っています。これは仕事を進めるためにどうしても必要なことですが、できれば自動化（あるいは半自動化）して、クリエイティブな仕事に多くの時間を使いたいものです。

これまで、デジタル化によってさまざまな仕事が自動化されました。生成系ＡＩの利用によって、それを一段と進めることができます。ぜひ積極的に、このような機能を使うことにしましょう。

AIにメールの校正をしてもらう

何の準備もなく、すぐに簡単にできることとして、メールの文章を校正してもらうことがあります。

つぎのようなプロンプトを書きます。

〈つぎのメールの文章で、表現が適切でないところや間違えた言葉遣いを直してください。なお、相手は、会社の重要な取引先です〉

ただし、このプロンプトだと、気に入らない表現が入ってきてしまうこともあります。これを避けるには、つぎのように指示します。

〈つぎのメールの文章で、表現が適切でないところや間違えた言葉遣いを指摘してください。なお、相手は、会社の重要な取引先です〉

インターネットの文例集から適切なものを探して書き換えるより、ずっと簡単にメールや手紙が書けます。

謝罪のメールを書くのは気が重く、なかなか取りかかれないものです。そして、返事が遅くなるほど、問題が大きくなり、謝罪がさらに難しくなってきます。ＡＩに助けてもらって、できるだけ早く謝罪メールを送りましょう。

なお、相手から来たメールを見せて「この返事を書いて」という使い方も、できなくはありません（それどころか、かなりまともな文章を書いてくれます）。ただ、これでは、あまりに誠意がありません。こうした使い方は控えましょう。

日本人の敬語の使い方がまるでデタラメになってきた

日本語のメールで重要なのは、敬語の使い方です。しかし、敬語を正しく使っていないメールが非常にたくさんあります。敬語を正しく使っている人のほうが少ないと言ってもよいでしょう。「バイト敬語」と言われるものを平気で使っている人もいます。

電話のときにはあまり気になりませんでしたが、メールで文字の形で示されると、敬語の使い方が適切でないメールは大変気になります。

こうしたメールは、受け取り手に、不快感を与えることになります。また、受け取り手は、敬語の使い方によって発信者の一般的能力を評価しています。間違った敬語を使えば、その人が働いている会社の評価にもつながるでしょう。

ところが、こうしたメールをもらっても、発信者に注意する人はほとんどいないでしょう。このような注意をすれば、相手を傷つけることになるからです。その半面、感謝されることはないでしょう。ですから、このようなメールがいつになっても送られ続けることになります。

そこで重要なメールについては、これまでのようにメールを書いて、それをＡＩに直してもらいます。その際、つぎのように指示します。

〈つぎのメールを正しい文章に直してください。とくに、敬語の使い方を正しいものに直してください。メールの送信先は＊＊です〉

送信先は、上司、同僚、取引先、学校時代の先生など、場合に応じて指定します。できるだけ詳しく指定するのがよいでしょう。

これによって、あなたの評価は大きく上がることになるでしょう。コストがゼロで、しかも効果は絶大です。使わない手はありません。

簡単なメールを書くのに、いちいちChatGPTにチェックしてもらうのは面倒だ、と思う人が多いでしょう。しかし、何度も何度も訂正してもらっているうちに、正しいメールの書き方が自然に身につくようになります。この意味で、ChatGPTは先生役を果たしてくれるわけです。

リスキリングが必要だと盛んに言われますが、何よりもまず、メールにおいて敬語が正しく使えるように訓練すべきだと思います。対話型ＡＩが使えるようになって、会社に再教育してもらわなくても済むようになりました。

なお、生成系ＡＩの文章校正能力が真価を発揮するのは、長文の場合です。これについては、第４章で述べます。

英語のメールでは大変便利

メールの校正という使い方は、英語のメールではとりわけ便利です。英語でメールを書かなければならない場合、気が重くて、つい遅れがちになりますが、ChatGPTを利用すれば、すぐに返事が書けます。

なお、訳すだけならグーグル翻訳で可能ですが、私の印象では、ChatGPTが翻訳した英文は、グーグル翻訳よりもこなれているように思えます。

ＡＩで修正されたメールをもらった人たちは、あなたのメールの文章が急に改良されたことを見て驚くでしょう。外国人は、日本人の英語力が突然向上したことを見て、いぶかしく思うかもしれません。

あまりに急激な変化だと、メールを受け取った人は、この文章はＡＩが書いたものではないかと疑うかもしれません。ですから、徐々に使うほうが安全かもしれません。

なお、仕事上のメールの場合、ＡＩに修正してもらうと、会社の機密情報が漏れる可能性があるので、十分な注意が必要です。

2 文章の校正能力は驚異的

文語体と口語体の変換

日本語の場合、文語体と口語体のいずれで書くかという問題があります。文章を書く上では、どちらかの文体に統一しなければならないことが多いでしょう。私の場合、文語体で書いた文章を、書籍化する際に口語体に変えたいときなどがあって、大事な問題です。

ところが、生成系ＡＩを相手にすると、これが意外に面倒です。

「文語体とは、だ、である調のこと。口語体とは、です、ます調のこと」と説明すると、正しい結果を出力するときもありますが、従わないときもあります。

「文語体、口語体とは何か？」と聞くと正しい答えが返ってきますし、「文語体を口語体に直せるか？」と聞くと、自信満々に「できます」とか、「最も得意とする作業です」という答えが返ってくるのですが、実際の動作は不安定です。

口語体の文章が必要な場合、つぎのように指示します。

〈「私は人間です」「私はＡＩと会話しています」。このような文章を「口語体」といいます。つぎの文章を、口語体の文章に直してください〉

〈つぎの文章を、敬体、つまり正式な口語体の文章（「です」「ます」調の文章）に直してください。正式な口語体とは、「私は、ChatGPTと会話をしています」というような文

章です〉

しかし、このような指定では、「○○だよ」のように過度にくだけた表現になることがあります。そうした場合には、途中でstopを押し、

〈くだけた日常的表現ではなく、正式な口語体にしてください〉

と指示します。

文語体を求める場合には、つぎのように指示します。

〈「私は人間だ」「私はＡＩと会話する」。このような文章を、「常体《じょうたい》」または「文語体」といいます。つぎの文章を、文語体の文章に直してください〉

〈つぎの内容を○字程度の文語体で書いてください。文語体とは、「だ、である調」のこと〉

このように指示しても、それに従ってくれない場合が多いのです。文語体の場合も、

「だ」とすればよいところを、やたらと「である」や「なのだ」を連発するなど、思いどおりにならないことがあります。あるいは、「吾輩は」などと言い出す場合もあります。これらを避けるには、つぎのように指示します。

〈「私は人間だ」「私はＡＩと会話する」。このような文章を、「常体」または「文語体」といいます。つぎの文章を、文語体の文章に直してください。なお、つぎの｛　｝内の表現は避け、その代わりに（　）内の表現にしてください。1．｛である｝（だ）、2．｛であろう｝（だろう）、3．｛なぜならば｝（なぜなら）、4．｛しかしながら｝（しかし）〉

文語体、口語体の問題はおそらく日本語に特有のものであり、アメリカ生まれの生成系ＡＩにとっては苦手なものなのでしょう。

この問題に限らず、ChatGPTの性能は、英語のほうが日本語よりずっと優れていると言われます。これは、ChatGPTの大規模言語モデル（ＬＬＭ）が、英語をもとにして作られていることによります。日本が世界の進歩から立ち遅れないため、大規模言語モデルの開発をアメリカ企業に依存するだけでなく、日本でも行なうことが望まれます。

AIの校正能力に仰天

ＡＩは、メールのような短い文章だけでなく、論文のような長い文章も校正してくれます。私以外の人間では意味が分からないミスプリントでも、ＡＩが見事に修正してくれることがあります。あまりの能力にびっくり仰天です。

なお、校正結果の表示法としては、修正後の結果を表示させるか、あるいは、修正すべき箇所をどのように修正するかを表示させるか、の2つの方法があります。プロンプトでは、つぎのとおりです。

①〈つぎの文章中の誤記や文法上の誤りなどを修正してください〉

②〈つぎの文章中の誤記や文法上の誤りなどを指摘してください〉

①だと、勝手に直されて、執筆者の意図と異なる文章になってしまう危険があります。

そこで、②の方法をおすすめします。自分では気づかない点を指摘されることがしばしばあります。文章を書く勉強にもなるでしょう。

ただ、校正結果を見て、いちいち文章を書き直すのは、面倒と感じる場合も多いでしょう。①、②のどちらがよいかは、場合により判断すればよいでしょう。

５００字程度であれば、元の文章は覚えているので、①の方法でも、気に入らない修正があれば、元に戻すことができるでしょう。

なお、文書校正機能は、ワードやグーグルドキュメントにも付属されています。私は、ワードの校正機能は使いづらいと感じるのですが、グーグルドキュメントの校正機能は便利です。

ＡＩの校正機能を用いて長い文章を書く方法については、第４章で述べます。

3　計算やプログラミングに使える

生成系AIの算数の実力は?

生成系ＡＩの計算能力は、どの程度でしょうか?

四則演算は卓上計算機と同じようにできます。それだけでなく、(4500＋39)×(8000

＋33）のようなカッコ付きの計算もできます。もっとも、この程度の計算なら、スマートフォンで手動でやるほうが早いでしょう。

「べき乗計算」（2の3乗というような計算）もできます。エクセルのシートを開いて計算するより、簡単かもしれません。ただし、５０００の６０００乗というような大きな数になると、お手上げです。〈a×10のn乗の形で示してください〉と指示しても、間違えることがあります。

素因数分解はどうでしょう？　ChatGPTは間違えました。また、素数でない数を素数だとしました（これらについては、間違いを指摘したところ、認めました）。

なお、これらの質問に、Bingは正しく答えました。さらに驚くべし。Bingは「36624887を素因数分解せよ」との要求に応えて、実際に素因数分解をしたのです。もっとも、素因数分解は、日常生活ではあまり実用価値はないかもしれません。

ChatGPTの助けで、エクセルを使いやすくなった

ChatGPTに自然言語で質問すると、プログラムコードを出力してくれます。プログ

ラムの知識がまったくなくても、使えます。魔法のようです。これをうまく使うと、エクセルの操作をかなり自動化することが可能になります。

私の場合の例を述べましょう。私は、経済分析で時系列データを頻繁に利用します。その際、ある期間の平均成長率を計算したい場合があります。対前年比なら簡単ですが、いくつかの期間ごとに平均成長率を計算するのは、簡単ではありません。これまでは表の外に複利計算式を書いて、いちいち計算していたのですが、面倒と感じていました。

これを簡略化できないかと思い、つぎのようにChatGPTに聞いてみました。

〈Ｂ欄の数字は年次で、Ｃ欄の数字は各年のＧＤＰです。Ｄ欄に、最初の年から当該年までの年平均成長率を示したいと思います。どのように指示すればよいですか？〉

それに対するChatGPTの答えは、「つぎの式をＤ２に貼り付けよ。そして、それを適用したい範囲にドラッグせよ」というものです。

＝G6((C最終値/Cの初期値)^(1/(最終年−初期年))−1)

確かに、これで簡単に解決。これまでも、これと同じことをやっていたのですが、この方式のほうが簡単です。先のコードを保存しておき、使うときにコピーして貼り付ければ、あっという間に作業が完了します。

もう一つ私が悩まされ続けたのが、産業分類変更の問題です。法人企業統計調査は、長期間にわたるデータをデータベース形式で利用できるため、非常に便利なのですが、途中の時点から産業分類が細分化され、その結果、データが不連続になるという問題がありました。

そこで、ChatGPTにつぎのように聞いてみました。

〈つぎの計算をエクセルで行なう場合、どのように指示したらよいでしょうか?
ここに示す表において、A、B、C欄の数字の合計をD欄に書いてください。ただし、B、C欄が空欄である場合には、そこに0という数字があるとして計算してください〉

これに対して、つぎの回答が得られました。

=SUM(A2,IF(ISBLANK(B2),0,B2),IF(ISBLANK(C2),0,C2))

D2に右の式を入力し、それをドラッグすることで、D欄全体に対して同じ計算を適用することができます。

これで簡単に解決できました。魔法のようです。

もっとも、エクセルでは、合計、平均の計算やデータの並べ替えを始めとして、デフォルトで利用できる関数がたくさんあります。これらを利用すると、かなりのことができます。例えば、和暦と西暦の換算などもできます。ですから、以上のことで飛躍的な能率改善ができるというわけでもないのですが、場合によってはかなり有効です。

時間の余裕ができたら、ChatGPTに教えてもらいながら、自分のホームページを更新したいと思っています。

第4章 ChatGPTと協力して文章を書く

1 丸投げでなく、内容を指示する

ChatGPTで文章を書く4つの方法

これまで述べてきたように、ChatGPTなどの生成系ＡＩは、文章を書くための仕組みです。そこから情報やアイディアを得ようとするのは、間違った使い方です。したがって、「文章を書く」という能力をいかに引き出せるかに努力を集中すべきです。

生成系ＡＩに文章を書いてもらうには、図表４－１に示す４つの方法があります。

図表４－１の①は、文章の内容に細かい注文をつけず、全体のテーマだけを与えて、

図表4-1　ChatGPTで文章を書く方法

	ChatGPTに依頼する作業	意図どおりの文章が得られるか?	事実やデータは正しいか?	AI特有の文章の〝匂い〟
①丸投げ法	テーマを与えて、文章を書いてもらう	△	×	×
②逆向き文章法	50字程度の要約から、500字程度の文章を書いてもらう	△〜○	×	×
③キーワード文章法	キーワードで文章の骨格を作り、それを文章化してもらう	○	△〜○	△〜○
④音声入力+ChatGPT	音声入力で作った文章の「見かけ」を整えてもらう	○	○	△〜○

（注）○は「満足できる結果が得られる」。×は「問題あり」。△は「○と×の中間」

「丸投げ」することです。例えば、〈日本の労働力不足と外国人労働者の役割について、１０００字程度の文章を書いてください〉ということです。

第１章で述べたように、生成系ＡＩは文章の「タイトル」を提案してくれますが、その逆をやってもらうのです。

②の方法では、内容を示す要旨をいくつか作り、それをもっと長い文章にしてもらいます。

③は、内容をキーワードの形で細かく指示し、それを文章化してもらうことです。

④は、誤字脱字などが残ってはいるが、

内容はほぼ固めた文章を、ＡＩに校正してもらうことです。

これらの方法のうち、③か④の方法（とくに④の方法）を採用されることを、強くおすすめします。

なぜ丸投げはだめなのか

学校教育におけるChatGPTの利用法として多くの人が問題視しているのは、レポートなどの課題に対して、学生が「丸投げ法」を使って手抜きをすることです。

確かに、この方法はまったく容認できません。なぜ容認できないのか？　いくつかの理由があります。

第1の理由は、文章の内容を利用者がコントロールできないことです。

「文章そのものがほしいのではなく、この問題について情報を得たいので、こうしているのだ」と答える人がいるかもしれません。しかし、その考えは間違っています。

これまで何度も強調してきたように、ChatGPTやBing、Bardなどの出力内容は、ほとんど信用できないからです。事実の誤り、論理の誤りなどがきわめて多いのです。

事実に関する情報やデータなどを得たい場合には、ChatGPTやBing、Bardといった対話型生成系ＡＩを利用するのではなく、従来型の検索エンジンを用いるべきです。生成系ＡＩを用いた検索エンジンが、従来型の検索エンジンを駆逐するとは思えません。

私が丸投げ法に賛同できないのには、他にも理由があります。

私はChatGPTの文章の〝匂い〟に耐えられないと感じています。第３章で述べたメールのような口語体の短い文章では気づかないのですが、論述文になると、大変気になります（とくに、文語体の場合）。

言い出せばキリがありません。もったいぶって言う（よって、しかしながら、……等々）。常套句《じょうとうく》が多すぎる（深掘りする、一筋縄ではいかない、……等々）。「日本語から追放しよう」とさまざまなところで私が主張している表現（さらなる、となります、ストレージ、インバウンド、……等々）が溢れている。[注] 断定せずに、「○○との考えもある」などのような安全弁をつける。爽快さや切れ味など、望むべくもありません。

（注）『書くことについて』（角川新書、２０２０年、第6章の6）など。

内容もあたり障りのないことばかり。独自の見解やハッとするような指摘など、まったくなし。ひと言で言えば、悪文の見本のような文章です。

それに、文章を書くのは楽しい仕事です。なぜ、それをＡＩに任せてしまうのでしょう？　そこで以下では、②、③、④の方法の具体的な手続きを述べることとします。

２　仕事をすぐに始められる「逆向き文章法」

「逆向き文章法」で経済評論を書いてもらう

図表４－１に示す②の方法は、内容の要約を書き、それをもとにＡＩに作文させることです。ＡＩは長い文章から要約を作ることができますが、ここではその逆を頼むのです。そこで、これを「逆向き文章法」と呼ぶことにします。

具体的な例を示しましょう。つぎのような内容について、データや現実の問題などを示しながら、２０００字程度の経済評論を書かせる実験を行なってみました（図表４－２参照）。

２０００字の文章を一度に書かせるのは字数制限のため難しいので、全体を３回に分け、書いてほしい内容を、つぎのように指定しました。

第１回
・労働人口に占める外国人労働者の比率は、日本は低い。
・労働人口に占める外国人労働者の比率は、諸外国では日本より高い。
第２回
・日本の外国人労働者受け入れ制度は、諸外国と比べると厳しい。
・日本では、高齢化によって労働供給が減るので、外国人労働者を増加させるべきだ。
第３回
・最近では、円安によって、日本に来る外国人労働者が減っている。
・制度の見直しが急務だ。

そして、プロンプトは、つぎのようにします。

〈つぎの内容で、最近のデータを引用しつつ、７００字程度の論文を書いてください。データや資料は、政府、公的機関、国際機関のもの、あるいは新聞記事を参照してください。また、データは最新のもの。そして、出所のＵＲＬも示してください。口語体（です、ます調）で、しかし、くだけた表現でなく、正式な論文のスタイルで書いてください〉

指示をしないと、生成系ＡＩは古いデータを参照することがあります。しかし、経済問題については、古いデータは役立たない場合が多いのです。そこで「最新」と指定しました（ただし、先に述べたように、ChatGPTは４・０であっても２０２１年９月までのデータしか参照しないので、それ以降のデータを求める場合は、BingかBardを用いる必要があります）。

第２に、データや資料の参照先を限定し、かつ出所のＵＲＬを求めました。これは、データや資料を元のサイトで確認するためです（なお、Bardは、この要請には応えてくれません）。

ここでは、生成させる文章の量を７００字としました。あまり長い文章の生成を求め

図表4-2　逆向き文章法

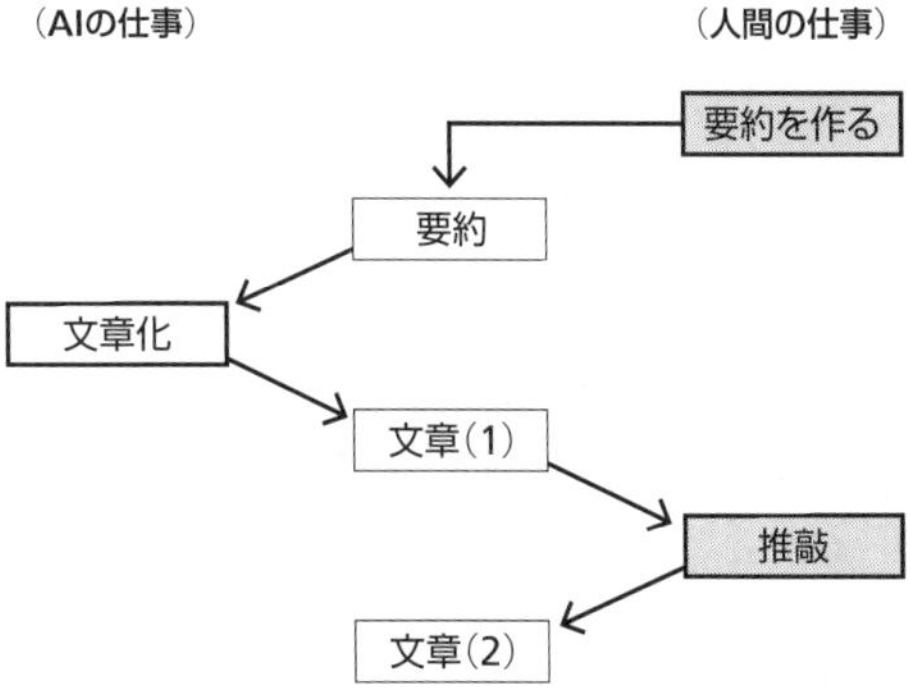

るのは得策とは言えません。論理が一方向に進むのでないと、ＡＩが論理の流れを正しく把握できない場合があるからです。

そこで、論理が直線的に進み、論理の逆転がない範囲にするのがよいと思います。これは通常、２０００字から５０００字程度ではないでしょうか。

見かけは素晴らしい経済評論ができる

ＡＩが出力した結果がどのようなものであるか、ここには示しません。

読者が試みられれば、２０００字程度の経済評論が直ちに得られることが分かるでしょう。あまりに立派な文章があっという間にできてしまうので、多くの人は驚嘆するでしょう。

少なくとも形式的な点だけを見れば、そのまま公表することができる文章です。それだけではありません。内容も、データを示しながら、現実の問題を参照した立派なものです。

つまり、少なくとも経済解説や経済評論に関する限り、見かけ上は、人間がいちいち記事を書かなくとも、概要だけを書けば、それで十分なように思えます。あとは、生成系ＡＩが詳しいデータや状況を調べて、分かりやすい記事に仕立ててくれるように見えるのです。

したがって、新聞や雑誌、書籍、あるいはウェブにある解説記事の多くは、潜在的には、もはや存在意義を失ったように思えます。

従来型の検索エンジンでは、こうはいきませんでした。知りたいことを文章の形で示してくれるわけではないからです。しかし、生成系ＡＩが出力する内容は、人間が書いた解説記事や経済評論と、外見上は何の違いもありません。

ですから、新聞や雑誌、ウェブにある記事を読む必要はなくなったように思われます。一人一人の読者がＡＩに質問して、答えを見ればよいからです。

中身はまったくのデタラメ

ところが、実は、この方法には深刻な問題があります。

右に述べたのは、外見上のこと、形式上のことです。しかし、AIが出力した内容は、正しいとは限りません。というよりは、「デタラメだらけ」と言ったほうがよいものです。

文章作成者がデータを調べたり、現実の制度を調べたりする必要はなく、AIが調べてくれるように見えます。しかし、その内容がまったく信用できないのです。これは、第2章ですでに述べたことですが、参照先を指定せずに文章を書かせても、同じ問題が発生するのです。

先の指示で、データの参照先を信頼できると考えられる機関に限定し、かつURLの提示を求めたのは、これをチェックするためです。ただし、そうした指示をしても、まったくデタラメな文献が交じっています。正しい文献である場合も、そこから正しいデータを引き出したかどうかのチェックは、かなり面倒で厄介な作業です。

大変重要なことなので繰り返しますが、生成系ＡＩの出力は、事実やデータに関してはまったく信用ができません。

生成系ＡＩとは、事実やデータを調べるためのものではなく、文章を書くためのものなのですから、当然といえば当然です。このことを決して忘れてはなりません。なお、逆向き文章法でも、先に述べた文章の〝匂い〟は消えません。

逆向き文章法の効用は「仕事を始められる」こと

では、文章を書くために、生成系ＡＩを用いた逆向き文章法は、何の役にも立たないのでしょうか？

そんなことはありません。使い方によっては、有用です。それは、「仕事を始める」ために使うことです。

第7章で、「とにかく仕事を始めるのが重要」と指摘します。ところが実際には、書き始めるのは難しいのです。つまり、「慣性」（静止している物体は力を加えないと動かないこと）が大きいのです。「逆向き文章法」を用いれば、この段階を生成系ＡＩの力を借りて突破することができます。

「２０００字の文章を書く必要があるのだが、どこから手をつけてよいのか分からない」といった場合があるでしょう。確かに、いきなり２０００字の文章を書くのは大変です。しかし、ツイート程度の文章を６本書くことはできるでしょう。それを用いて「逆向き文章法」で２０００字程度の文章が手に入れば、手がかりが得られます。

あとは、あなたが事実やデータを調べ、内容を改訂します。データを分析したら、ＡＩの書いた文章と逆の結果になる場合もあるでしょう。

そして、文章を推敲します。ＡＩが出力した文章を修正し、構成を変更し、表現を洗練するのです。こうして、あなた自身の文章に仕上げていきます。何もないところから文章を書くのは困難ですが、文章を直すのは、それよりは容易なのです。

3 文章を書くのがさらに楽になる「キーワード文章法」

キーワードを書き出す

２で述べた「逆向き文章法」をもっと精密にしたのが、以下に述べる「キーワード文章法」です（図表4－3参照）。

まず、文章の内容を表す多数のキーワードを書き出します。５００字程度の文章を書く場合には、１５０個程度のキーワードを用意するのがよいでしょう。これより長い文章を書く場合には、比例的に増やします。

目安としては、最終的に作りたい文章の総字数がｍであれば、ｍ／３個程度のキーワード、またはキーフレーズを抽出するのがよいでしょう。

なお、キーワードと言っても、単語とは限らず、短い文章であっても構いません。主張を端的に表す短文です（ChatGPTは、「キーフレーズ」という言葉を使っています）。事実やデータは、事前に調査し、キーワードの一つとして、あらかじめ入れておきます。

つぎに、書き出したキーワードを編集します。不要なものを削除し、必要なものがあ

図表4-3　キーワード文章法（その1）

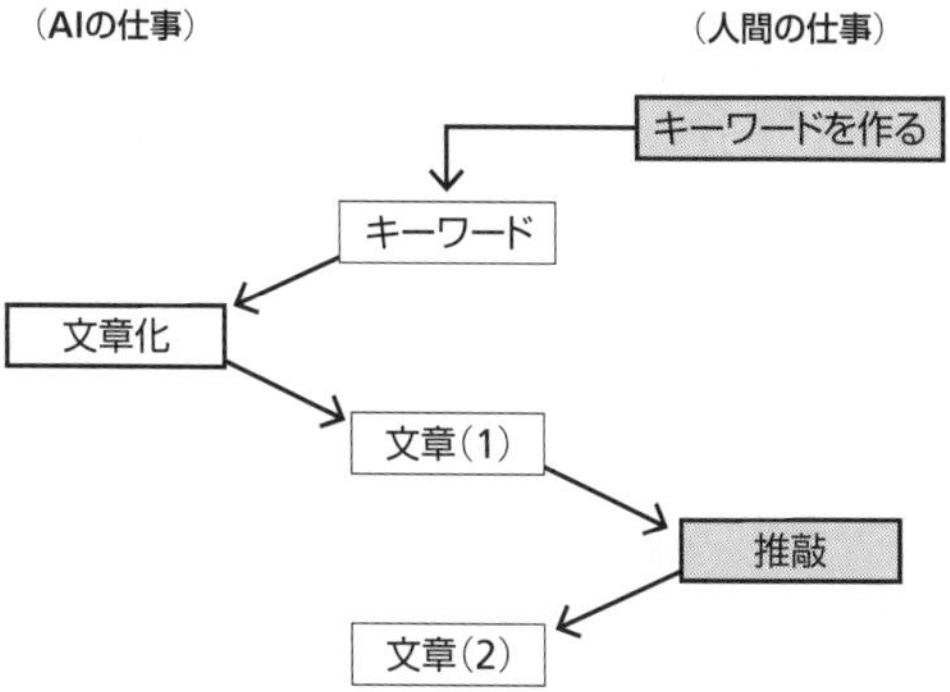

れば追加します。そして、論理の順序も正しくします。これによって、文章の核となる内容を明確にします。

文章作成は簡単ではありませんが、キーワード作成なら比較的容易でしょう。

キーワードをもとに文章を書かせる

つぎに、キーワードまたはキーフレーズをもとに、文章を書くよう ChatGPT に指示します。この場合のプロンプトは、以下のとおりです。

〈つぎのキーワードまたはキーフレーズを用い、説明を補いつつ、ほぼ3p字の文章を書いてください。ここで、pはキーワードまたはキーフレー

ズの個数〉

これによって、文章が作成されます。

多くの場合、このままで公表できるレベルの文章が出力されるでしょう。

ただし、言い回しなどが気に入らない場合もあるでしょう。キーワード文章法でも、先に述べた〝匂い〟は消えないことが多いのです。そこで、出力された文章を推敲します。納得がいくまで、十分に時間をかけて推敲します。ＡＩが出力した文章が影も形もなくなるまで推敲します。そうなれば、これはＡＩが書いた文章ではなく、あなたが書いた文章です。

以上が「キーワード文章法」です。要約すれば、キーワードを書き出すことによって内容を固め、それを用いて生成系ＡＩが出力した文章を推敲することによって、表現法などを修正し、自分の文章としていくのです。こうしたことによって、内容が充実した文章を、効率的に作ることができます。

これによって、文章を書くのが楽になります。そして、アイディアの創出や文章の推敲に、より多くの時間を使うことができるようになります。これまでよりも内容の質を高めることが可能になるでしょう。

4 「音声入力+ChatGPT」で、文章を書く効率が飛躍的に向上

1時間かかった退屈な作業を、AIが5分でやってくれる

図表4－1の④の文章作成法は、音声入力とChatGPTを組み合わせる方法です。音声入力で内容を固め、AIに校正してもらって、体裁を整えるのです。

第7章の4で述べるように、私の文章作成は、スマートフォンに向かって話すことから始まります。

ところが、音声入力には誤変換という厄介な問題があります。第7章の4で述べるように、孤立した単語ではなく文脈を持った文章を入力することによって誤変換をかなり防止できますが、それでも誤変換は依然として残ります。

そして、誤変換を修正するためには、手間と時間がかかります。しかも、これは退屈

な作業です。私は、この作業に悩まされ続けてきました。

しかし、生成系ＡＩが助けになることが分かりました。第3章の2で述べたように、生成系ＡＩは校正能力を持っているのですが、短い文章だけでなく、長い文章についてもこれが利用できるのです。

以前は、30分で入力した結果を修正するのに、1時間かかることも珍しくありませんでした。しかし、生成系ＡＩを利用することによって、その時間が5分程度に短縮されました（ChatGPTによる校正自体はあっという間にできますが、プロンプトをコピーしたりするのに時間がかかるため、5分程度になります）。音声入力の校正は、毎日、何度も行なっている作業なので、これによって私の仕事はずいぶん楽になりました。

この方法では、ＡＩを2回使っています（音声入力と文章の校正）。しかも「文章の校正」は、生成系ＡＩが最も得意とする機能です。ですから、著しい効率化が実現できるのは当然とも言えます。

なお、校正の能力は、GPT-3.5とGPT-4では差があるように思われます。GPT-4は有料ですが、文章を書くことを仕事にする人にとっては、それだけの使用料を払う価値は十分にあると言えるでしょう。

プロンプトの書き方

音声入力で得られた文章を校正してもらうためのプロンプトの書き方には、いくつかのものがあります。

最初は、〈つぎのテキストを校正してください〉とか〈つぎの文章の誤りを訂正して、正しい文章にしてください〉といった簡単なプロンプトを書いていましたが、いまは、もっと詳細に、つぎのように指示しています。

〈つぎの文章は音声入力で作ったテキストですが、いくつかの変換ミスがあります。誤字脱字や不明瞭な表現、不自然な語句や表現、事実の誤り、そして文法的なエラーなどを直し、正しい文章にしてください〉

つぎのプロンプトでも機能します。

〈つぎの文章にある誤字脱字、不完全な表現などを直し、ほぼ同じ字数の文章を書いてください。なお、文章をまるごと削除はしないこと〉

誤字脱字が非常に多い場合には、このほうが良好な結果を得られます。ただし、これだと、元のテキストにはない言い回しなどが入り込む場合があります。ChatGPT特有の〝匂い〟がある文章で、私は気に入りません。「私が書いた文章に勝手に手を入れるな」と大声を出したくなるときがあります（最初のプロンプトでも、この問題が生じる場合があります）。

「見かけ」を整えるのはAIの仕事

この方法を使うと、送り仮名や助詞・接続詞など、ひらがな部分の誤りは、ほとんど完全に訂正してくれます。

ただし、漢字はキーワードとして重要な場合が多いので、AIに依頼する前に、誤変換がないように自分で修正するほうがよいでしょう。

ひらがな部分や句読点は、かなりひどい誤りがあっても、AIが修正してくれると期待できます。自分で修正するのは、重要なポイントだけで済む。そして、些細な点はAIが整えてくれるのです。

なお、漢字に注目していればよいというのは、日本語の漢字かな交じり文の特徴です。この特徴を最大限に利用しましょう。

こうして手間と時間を大幅に節約しながら、より効率的に文章を作成することが可能になりました。

なお、この作業での出力文章は、一回あたり500字程度に限定するほうがよいでしょう。

あとは、出力された文章を再編集し、推敲する作業です。説明の流れや論理の構造が正確であれば、比較的容易に編集を進めることができます。

しかし、途中で説明がつながらない場合や、論理の構造が不適切な場合、さらに説明を追加する必要があることもあります（最初に音声入力した文章が、そのような誤りを持っていたのです）。そうしたときには、文章を修正し、内容を拡充していきます。

この編集作業によって、文章の質を改善することができます。生成ＡＩの能力を活かしながら、よりよい表現を追求することができます。

音声入力からキーワードを抽出する方法も

３で述べた方法では、キーワードを作成することから作業を始めました。

これを少し変形して、音声入力でキーワードを作成する方法も考えられます。それを使って、３で述べたキーワード文章法でＡＩに文章を作成してもらうのです。

ただし、孤立した単語を音声入力すると、誤変換の確率が高くなります。誤変換を避けるためには、単語よりは、短文を入力するのがよいでしょう。そこから、ChatGPTにキーワードを抽出してもらうのです。

キーボードからの入力では、必要労働量は字数に比例しますが、音声入力の場合は、入力量が多くなっても、それほど仕事が増えたとは感じません。

この場合は、あとでキーワードを抽出するので、とにかく思いついたことを、論理構成などをあまり気にせずに音声入力することができます。

ＡＩにキーワードを抽出してもらうだけ手間がかかりますが、それよりも音声入力を簡単にできるメリットが大きい場合もあるでしょう。

この方法の手続きは、図表４－４で示すようになります。

図表4-4　キーワード文章法（その2）

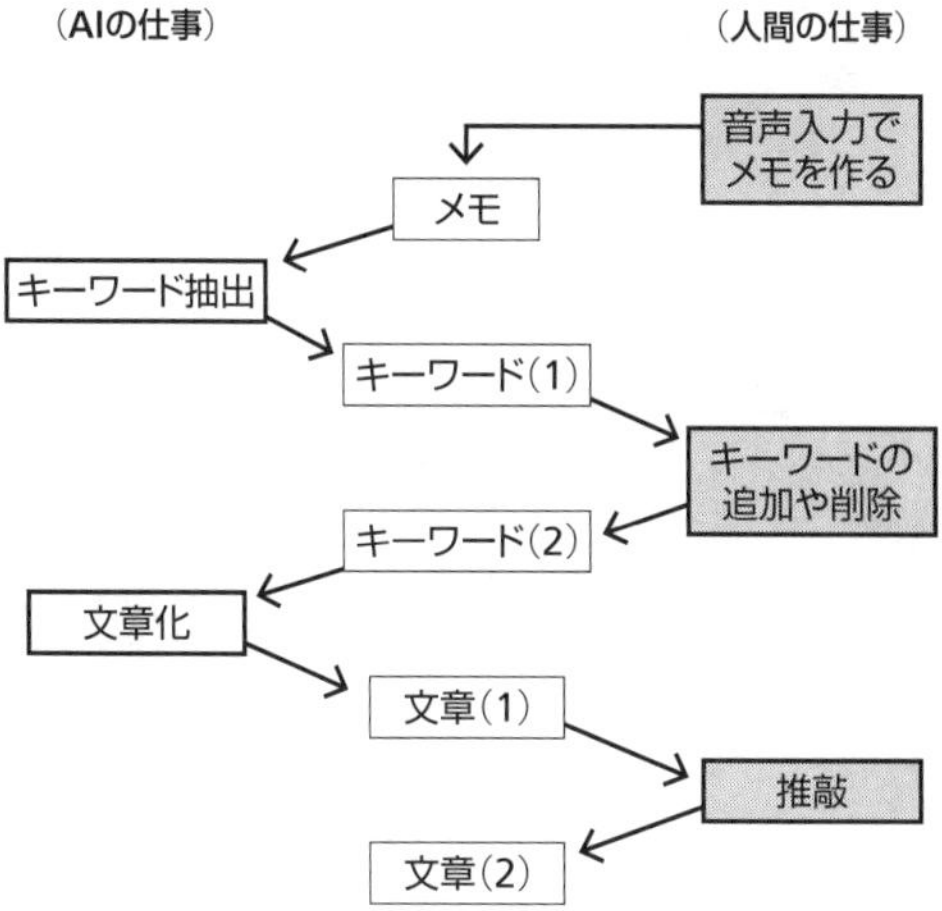

アプリも提供されている

なお、ChatGPTと音声認識を組み合わせたアプリも提供されています。例えば、Hello Transcribeは、iPhoneで使えるアプリです。アップルストアでの評価を見ると、最高位の5になっています。

しかし、私が試した限りでは、使い勝手があまりよくないし、音声認識の精度も、それほど高いとは思えませんでした（ただし、私は無料版を使っただけです。有料版にすれば性能が変わるのかもしれません）。

最近はiPhoneの音声認識能力がかなり高まったので、この出力をChatGPTで校正するほうが簡単なように思いました。

また、会議などの議事録を作成したり、ユーチューブから文字起こしをするアプリも提供されています。

5 よい文章の条件は変わらない

文章を書く時間は短くならないし、手抜きもできない

「音声入力＋ChatGPT」を用いると、1日４０００字程度の文章を無理せずに書くことができます。無理をすれば1日1万字も不可能ではないでしょう。これまではライターに依頼しなければできなかったスピードで文章を書くことができます。

ただしこれは、書くべき内容がすでに頭の中にある場合です。そして事実を調べたり、データを調べたり、あるいはデータを分析したりすることが必要ない場合です。

しかし、実際には、それらのために多くの時間が必要です。とくに、データを集め、分析する作業は、生成系ＡＩに任せることができないので、これまでと同じように自分

で行なうことが不可欠です。

つまり、この方法だけで文章のすべてを書くことはできません。ですから、文章を書くのに要する時間が全体として短くなるわけではありません。

また、この方法では手抜きはできません。つまり、これは「お手軽文章作成法」ではありません。しかし、この方法を使うと、文章を書く作業が楽になります。それによって、テーマを考えたり、データの分析をしたり、文章の推敲をしたりすることに、より多くの時間をあてることができます。

よいアイディアを持ち、よい感性を持っている人が、よい文章を書ける

以上で述べたキーワード文章法や「音声入力＋ChatGPT」は、生成系ＡＩの最も本質的な活用法であろうと思います。

これによって、アイディア生産の効率を上げることができます。手抜きはできないのですが、内容の質を高めることができます。かつて私が夢見た「アイディア製造工場」の実現です。

以上の方法は、誰にでもできるものです。では、誰でも同じように成果を上げられるでしょうか？　そう言いたいところですが、実際には、人によって大きな差が生じることは避けられないでしょう。

以上の過程において、文章を書く主導権は人間が握っています。AIは補助しているだけです。したがって、誰もが同じ結果を得られるわけではありません。最も重要なのは、最初の段階で、いかなるテーマを選ぶかです。テーマを見出すことは、これまでも文章作成で最重要の課題でしたが、その重要性がさらに増したことになります。

どのようなテーマを思いつくかは、人によって大きな差があります。それに伴って、成果は大きく違うでしょう。

どうしても文章を書きたいという熱意を持っている人と、義務で書かなければならない人では、まったく違う文章になるでしょう。また、文章に関して正しい感性を持っている人が、推敲過程を通じて、よい文章に仕上げることができます。

文章を書く方法がこれまでとは変わるのですが、よいアイディアを持ち、よい感性を持っている人が、よい文章を書けることに変わりはありません。

第5章 ChatGPTから アイディアを得られるか

1 ChatGPTに小説や映画の筋書きは作れない

ChatGPTに小説の続編を書かせてみた

第4章では、経済評論のような論述文について考えました。これらの文章について、事実に反する記述は致命的です。このため、生成系ＡＩに代筆を頼むことはできません。しかし、小説なら何が起きても構いません。とくに、ＳＦであればそうです。事実のチェックが必要ないので、アイディアの勝負になります。では、こうした分野でアイディアの創出や文章の作成をChatGPTに任せられるでしょうか？

これについて、いくつかの実験を行なってみました。知りたいのは、作品の核心になるアイディアをChatGPTが作れるかどうかです。

具体的には、〈旧ソ連のSF作家イワン・エフレーモフの中編小説『星の船』と似たストーリーのSFを作ってほしい〉と頼んでみました。つまり、第4章で「やってはいけない」とした「丸投げ」を行なったわけです。

あっという間に出力しました。「この部分をもっと詳しく」と注文すると、すぐに答えを出します。短編小説なら、1時間もかけずに出来上がるでしょう。

しかし、ワクワクするようなものができたわけではありません。まったく逆の陳腐な筋書きで、『星の船』とは比ぶべくもありません。

そこでもう少しストーリーを限定してみましたが、それでも退屈なものしか作ってくれません。

その他のSFをいくつか取り上げて、続編を考えてほしいという試みも失敗。こうして、ChatGPTに小説を書いてもらおうという試みは、ことごとく無残な結果に終わってしまいました。

つぎは映画。「ローマの休日」や「黒水仙」の続きを作ってほしいという注文を出したのですが、試みはすべて失敗しました。

あらすじを考えてはくれるのですが、まことにお粗末。箸にも棒にも掛かりません。あまりに陳腐なので、見えない相手を殴り倒したくなりました。

読者の皆さんも試みられたらよいでしょう。ただし、時間の無駄にしかならないことを、あらかじめお断りしておきます。

基本的なストーリーは人間が作る

〈〇〇の続編を書いてほしい〉というような漠然とした指示では、実に陳腐な答えしか得られません。傑作、名作は生まれません。斬新なアイディアは何も出てきません。「愚問愚答」と言われますが、そのとおりです。

ChatGPTに小説を書かせるのであれば、人間が詳細に筋書きを考える必要があります。〈「ローマの休日」をハッピーエンドにしてほしい〉ということでも、まだ不十分です。これだけでは、誰でもすぐに思いつくようなストーリーしか出てきません。

もっと詳細な方向を示さなければだめです。

結局のところ、ストーリーを考えるのは人間であり、それに従って文章を書くのがChatGPTということになってしまいます。

第4章で述べたように、文章を書く手伝いはChatGPTがやってくれます。しかし、「内容を考える」という最も基本的な部分は、人間がやらなければなりません。

ChatGPTは「面白い」という感情を持っていない

なぜ面白いストーリーが出てこないのでしょうか？　ここには、ChatGPTの本質的な問題点が関係していると思います。そう思わせるやりとりを、何回か経験しました。

アメリカの短編作家アンブローズ・ビアスの短編小説『行方不明者のひとり』の筋を聞いたのですが、ピントはずれの答えでした。

ビアスの作品は、どれも精密にできています。そして、最後のひと言で決まります。『行方不明者のひとり』も、最後のひと言によって、それまでの叙述が、読んだときに理解していたのとはまったく違う意味を持っていることが分かります。あまりのどんでん返しに、あっけに取られます。だから、『行方不明者のひとり』を紹介するのであれば、最後のひと言が決定的に重要だと説明しなければなりません。

しかし、ChatGPTは、それを理解していないようなのです。「最後のひと言」は数語しかなく、しかも唐突に出てくるので、それが重要ということを理解できないのでしょう。

『行方不明者のひとり』だけではありません。『アウル・クリーク橋の一事件』も『空飛ぶ騎士』も、すべてそうです。そうした面白さを理解できない以上、生成系ＡＩに〈ビアスのような作品を書いてほしい〉と頼んでも無理な相談です。これは、人間でなければ書けないものです。

「ものすごい物知りのバカ」

もう一つ。「ソ連時代のアネクドート（政治的風刺を持つジョーク、小咄《こばなし》）で一番面白いのは？」と聞いてみたところ、ブレジネフの話を出してきました。しかし、理解できなかったので、「なぜ面白いのか？」と問い詰めたところ、しどろもどろの答えになりました。読んでいるうちに混乱して、こちらの頭がおかしくなります。

このやりとりを通じて、「面白い」という感覚をChatGPTは持っていないことが分かりました。ChatGPTは、アネクドートを理解していないのです。多くの人が面白いと言っているものを（それならまだしも、どこかのサイトに面白いと書いてあったものを）、ただ示しているだけです。

率直に言えば、「ものすごい物知りのバカ」と話したような気持ちになりました。ビアスの作品やアネクドートを理解できないのは、生成系ＡＩが人間のような知性を持っていないことを示しています。

面白いと感じたり、驚きや感動などの感情を持っていなければ、小説は書けません。文法が正しいだけでは、優れた文学作品にはなれません。同じ理由で、落語も作れないでしょう。

面白さを規定するのは難しい

面白い小説をChatGPTに書かせるためには、「何が面白いか」ということを規定しなければなりません。しかし、これはきわめて難しいことだと思います。

そうだとすれば、小説を書くことは人間の仕事だということになります。少なくとも、その主要なプロットは人間が考えなくてはなりません。ChatGPTが行なえることは、主要なプロットが与えられて、細かい描写をするというような補助的な作業だけにとどまるでしょう。

将棋や碁の場合には、正しい答えがある。だから、人間よりAIのほうが優れている。しかし、小説ではそうはいかないということになります。

ところで余談ですが、この実験を続けているうちに、「ローマの休日」続編の素晴らしいアイディアを思いついてしまいました。ChatGPTの提案からヒントを得たのではありません。私自身で思いついたのです。

ハッピーエンドで、誰もが満足するようなワクワクするストーリー！　ただし、詳しく述べると映画界にあまりに大きな衝撃を与えてしまうので、その詳細は極秘とさせていただきます。

2　AIが、作る俳句は駄作だけ

俳句を詠ませて分かった、ChatGPTの創造力のなさ

ChatGPTが俳句を作れるかどうかを実験してみました。「俳句を作ってもらいたいのですが、どのようなプロンプトを書いたらよいですか?」とChatGPTに尋ねたところ、つぎの事項を指定せよとの回答でした。

①季語（テーマや季節感を表すもの）、②表現やイメージについての要望。

そこで、季語を「クレマチス」とし、庭でクレマチスの花が咲き始めている状況を説明する、いささか長めの文章を書いて、〈新しい俳句を作ってほしい〉と指示したところ、直ちにいくつかの俳句が得られました。しかし、どれもひどい出来です。

「GPT、俳句は詠めてもひどい出来」

「クレマチス」というカタカナは俳句には向かないのかと思い、〈クレマチスと春という言葉が入っている俳句で、これまでに作られたものを10点教えてください〉と指示したところ、直ちに示してくれました。

これを見る限り、この言葉が俳句向きでないとは言えないようです（なお、これらが、現実の人間によって作られたものかどうかを尋ねたのですが、曖昧な答えでした）。

要するに、人間を感動させるほどの俳句を作る能力は、ChatGPTにはないことが分かりました。俳人の方々は、どうかご安心ください。

前節で述べたように、小説や映画の筋書きを書いてほしいという要望に対して、ChatGPTはまことにお粗末な答えしか出してくれません。それと同じことです。ChatGPTが作った俳句や、小説・映画の筋書きはなぜだめなのか？　そう問い詰められても、「こういうのではダメなんだよ」と言うしかなく、うまく説明できません。

第6章の2で、「人間の創造的活動は『審美的洞察力』に導かれて行なわれる」というポアンカレの言葉を紹介します。この言葉を用いれば、「人間は審美眼を持っているが、ChatGPTは持っていない」ということです。

ChatGPTの創造能力を判定するには、俳句の出来栄えを見るのが一番簡単だと思います。判定する側から言えば、長い文章を読まなくとも、わずか17字で判別できるからです。作る側から言えば、わずか17字で、これまでにない新しい作品を生み出そうというのですから、大変なことです。

しかも、いまの場合は、「クレマチスという言葉を使え」と制約しているので、残りは12字しかありません。12個の文字の組み合わせで、これまでになかった世界を作り出そうというのは、極限の創造活動と言えるでしょう（ただし、そうであっても、可能な組み合わせの数は膨大です。これについては、第6章の2で、具体的な数字を示します）。

ChatGPTの能力がいまのレベルである限り、創造的な仕事に従事している人は、あまり心配しなくてよいでしょう。むしろ、人間が持っている創造力の価値が上がると考えてよいでしょう。

ChatGPTが俳句を作るプロセス

以上の実験で、興味深いことが分かりました。

それは、ChatGPTが俳句を作るプロセスです。「クレマチス」という言葉を含んだ俳句を参照し、それらの俳句で使われている表現を、真似ているようなのです。

なぜそう考えられるかというと、前項で述べた10点の既存俳句例の中で使われている表現が、ChatGPTの作った俳句に、そのまま現れるからです。

人間も、これまでに作られた俳句に影響を受けているでしょう。しかし、それらは、いったん記憶の中に取り入れられ、無意識のレベルにまで沈んだあとに、いま作ろうとしている俳句に、無意識のうちに影響を与えるのではないかと思います。

それに対してChatGPTの場合には、過去に作られた俳句の利用が、もっと直接的・機械的に行なわれているように思えます。

俳句以外のことに関しても、ChatGPTは同じようなプロセスで出力をしているのでしょう。俳句の場合にはわずか17字しかないので、これがはっきり分かってしまうのだと思います。

作品の評価はできるか

ChatGPTに創作を頼むのは無理としても、作品の出来栄えを評価してもらうことはできるでしょうか？　試しに、つぎのものを評価してほしいと頼んでみました。

「春の日に、かすかに漂う梅の香や」

これに対して、絶賛する答えが返ってきました。冗談じゃない！ これは、ChatGPTをからかおうと思ってでっち上げた、駄作の見本のようなものです。それを真面目に受け取って絶賛するとは。

ChatGPTのプログラムでは、質問者から作品の評価を求められた場合には、否定的な評価をせず、肯定的に評価するということが決まっているのだと思われます。だから、作品の評価を求めても無意味です。

3 ChatGPTとのブレインストーミングは、やり方次第

アイディアを得るための刺激をChatGPTに与えてもらえるか

アイディアを出すために、ブレインストーミングはきわめて重要です。ただし、相手が有能な人でなければ、単なるおしゃべりや、時間潰しになってしまいます。

しかし、有能な人ほど忙しいので、こちらが聞きたいときに、いつでも対応してくれるわけではありません。

ところが、ChatGPTは、いつでも相談に乗ってくれます、そして、いくら聞いても、嫌がりません。対話の相手としては、理想的のように思われます。

そこで、ChatGPTを相手にブレインストーミングができないでしょうか？　それによって、アイディアが得られないでしょうか？　答えが得られなくてもよいから、きっかけや手がかりがつかめないでしょうか？

アイディアを出すのはあくまでも自分なのですが、そこに至るまでの刺激をChatGPTに与えてもらおうというわけです。つまり、「これについてのアイディアがほしい」というような直接的な方法で答えを得るのではなく、ChatGPTとの会話を通じて、自分自身がアイディアを生み出すのです。

人間を相手にした会話で、このような経験をした人は多いでしょう。相手の何気ない発言の中に、自分の求めていることへのヒントが含まれている場合があります。こうした産婆《さんば》役をChatGPTにやってもらおうというわけです。

答えではなく、「質問」を知りたい

ChatGPTとの対話によるアイディア出しは、うまくいく場合もありますが、いかない場合もあります。

比較的うまくいく方法を紹介しましょう。それは、「検討すべき点」「調べるべき点」「論じるべきトピックス」を聞くことです。つまり、答えではなく、「問い」を聞くことです。

どのようなことを聞きたいか、その内容は、人によって違うでしょう。私の場合に関して言うと、「何について書くか？」というテーマ探しが重要です。なぜなら、文章を書く作業で最も重要なのは「何について書くか？」であり、よいテーマをつかめたら、8割がた成功と言えるからです。

では、どうしたら、よいテーマをつかめるでしょうか？　これまで行なっていたのは、思いついたことを育てて成長させるための、メモの仕組みを作ることです（第8章参照）。それらをシステマティックにして、「質問ジェネレータ（質問製造機械）を作れないか？」と考えたこともあります。

こうした試行錯誤を続けてきたのですが、いま生成系ＡＩの出現という大きな変化が起きました。そこで、ChatGPTに頼んでみます。

論点をChatGPTに出してもらえるか

まず、「論点そのものをChatGPTに教えてもらう」という方法があるでしょう。例えば、つぎのようなプロンプトを出します。

①〈私は日本の賃金について論文を書きたいと思います。この問題についての論点を5つあげてください〉

②〈日本の賃金について最も簡単で、かつ正確に解説しているウェブの論文（300字以内のもの）を教えてください〉

③〈日本の賃金に関する政府の白書や審議会の参考資料などを3つあげてください。この問題についてデータを掲載している日本の政府や関係機関のサイトを教えてください〉

こうした方法で有意義な結果が得られることもありますが、本当に優れた文献や資料を選んでいるのかどうか、疑問である場合のほうが多いと感じます。「賃金」というキーワードが入っている文献や資料を、内容の評価なしに表示しているとしか思えないのです。従来型の検索エンジンで得られる結果のほうが、信頼性があります。

ChatGPTを使って企画案を出す

ただし、右の方法の変形は、会社で企画案を出す場合などには使えるでしょう。直面している問題を説明し、〈検討すべき5つのポイントをあげてください〉と頼むのです。例えば、〈当社で長年の稼ぎ頭であった商品の売上げが、最近落ちています。この問題を解決するために調査、検討すべき事項を5つあげてください〉というように聞きます。

このように漠然とした質問でも、かなりまともな答えが返ってきました（実際に確かめてみてください）。

「稼ぎ頭の商品」が何であるのかを詳細に説明し、かつ、その売上げがどのように推移してきたかのデータを示せば、もっと具体的な答えが得られるでしょう（ただし、あまりに詳細なデータを入力すると企業機密が漏洩《ろうえい》するおそれがあるので、ご注意ください）。

この方法では、調査すべき方向を求めるだけであり、答えを求めているわけではありません。答えを見出すのは、あなた自身の仕事です。こうした問題についての答え（解決策）をChatGPTに求めるのは、もともと無理な要求です。答えを得るためには、きわめて多くのデータをChatGPTに提供する必要があるからです。

大企業であれば、自社のデータシステムとChatGPTを、ＡＰＩ接続によって結合したシステムを構築して、この問題を分析することは可能でしょう（第2章の6参照）。ただ、そのためには、多大の投資が必要とされるでしょう。しかも、投入した資源に見合うだけの有益な答えが出てくるかどうかは疑問です。

それに対して、ここで述べた方法は、一般に公開されているChatGPTを使うだけで、誰にでも簡単にできることです。そして、多くの場合に、有益な効果を得ることができるでしょう。

反論してもらって、新しい視点を発見できるか

もう一つの方法は、考察に対して反論してもらうことです。あるいは、論点の方向を与えて、意見を述べてもらうことです。

具体的には、新聞の社説を示し、つぎのプロンプトを作成してみました。

①〈つぎの文章の主張を批判し、反論する５００字程度の文章を書いてください〉

②〈つぎの文章に対して批判と反論を行ない、異なる視点からの議論を５００字程度で展開してください〉

③〈つぎの文章に対して批判と反論を行ない、異なる視点から議論を展開する10個程度の論点をあげてください〉

しかし、結果はあまり満足できるものではありませんでした。

①、②については、一見すると新しい視点を提供してくれるように見えますが、何度も試してみると、特定のパターンで示していることが分かります。つまり、原文の各論

点を取り上げ、以下のような反論を展開しています。

・必ずしもすべての人に適用できるわけではない。
・これは一部の人々についてのみのものだ。
・短期的にはそうだが、長期的には必ずしもそうとは言えない。
・他の目的と相互に両立しない。

確かに、こうした議論も可能ですが、あまり有益でないと感じました。

3つの中では、③が比較的よいと思います。しかし、あまり有益な視点が得られず、頭が混乱することもありました。総じて言えば、ChatGPTとの会話から新たな視点を見つけることには、あまり期待しないほうがよいようです。

無目的の雑談からアイディアを思いつくことも

偶然の機会に新たなアイディアを得るというのは、多くの状況で起こることです。

ChatGPTと他の手段を比較して、アイディア発見の確率が有意に高いかどうかといえば、そのようなことはありません。したがって、ChatGPTとの会話からアイディアを得るきっかけがあるとしても、必ずしもChatGPTとの会話が優れているとは言えません。人間との会話とは比べようがありません。ChatGPTの利点は、いつでも会話ができるということでしょう。

ところで、以上では、新しいアイディアを引き出そうと意識して、ChatGPTと会話しています。そうした目的なしに、まったくの雑談をしているうちに、よいアイディアを思いつくこともあります。

これは人間相手の雑談でしばしば経験することですが、ChatGPTを相手にして何の目的もない雑談をしていても、同じ経験をすることがあります。むしろ、こうした方法のほうが、実際には有効かもしれません。

相手を規定するのがよいか

生成系ＡＩには、個性がありません。言い換えれば、どんな個性にもなり得ます。これでは対話がかみ合いません。

そこで、「最初に相手の役割を規定するのがよい」との考えがあります。例えば、「あなたは一流紙の経済担当デスクです」、あるいは「あなたは一流商社の新規事業開発担当の部長です」などというように。そうすれば、その役割を演じて答えてくれるだろうとの考えです。

この方法は一見して、うまく機能しそうに思えます。しかし、ChatGPTに「このような方法は有効か？」と尋ねたところ、最初は「あまり意味がない」との答えでした。

考えてみれば、そのとおりです。仮にあなたが、企業の新規事業開発担当役員だったとします。その場合、競合他社の人がこちらの開発状況を探りに来たときと、社長から事業計画の進行状況を聞かれたときとでは、答えはまったく違うものになるでしょう。

相手を規定することは決して悪いことではありませんが、それだけでは不十分です。それよりも自分のことを正確にChatGPTに伝えることを忘れてはいけません。私は誰か、私は何を求めているのか、などを詳細に指定することが必要です。

個々の場合に、答えの方向づけや内容を細かく指示することが必要です。字数や水準を指定するだけでなく、「○○という内容が含まれるように」などと指定します。

なお、いったん会話を始めれば、それに続く会話では、ChatGPTは前の内容を覚えているので、繰り返す必要はありません。

ところで、しばらく経って、先ほどと同じ質問（「このような方法は有効か？」）をChatGPTにしてみたら、「きわめて有効」という答えが返ってきました。ChatGPTはまったく信頼できません。

4 重要な2つの使い方に集中する

重要なのは、校正と要約

以上で述べてきたことを要約すると、つぎのようになります。つまり、有益な使い方とは、第1が文章の校正。とくに、音声入力の誤変換の訂正。そして第2が、文書の要約。とくに英語の文書の翻訳と要約です。これだけかと思われるかもしれませんが、これらによる作業効率の向上は、驚異的なものです。

校正によって、文書完成までの時間が大きく短縮されました。翻訳や要約によって、読むことができる英語文献の量が飛躍的に拡大しました。また、これらによって生み出された時間を用いて、推敲やデータ分析のための時間を増やすことができます。

生成系AIを用いてアイディアを出すことができるとよく言われるのですが、本章の3で述べたように、これはそれほど有効な方法だとは思えません。むしろ、時間の無駄遣いになる可能性のほうが大きいと感じます。そうしたことに時間を費やすよりは、文献を読んで、そこからヒントを得る方がはるかに効率的です。

使い倒そうと思ってはいけない

生成系AIはさまざまなことができるため、すべての機能を使いこなさなければならないという考えに陥りがちです。しかし、この考えは間違いです。最も有効な使い方を見つけ、それに集中することが重要です。

このような視点が必要なのは、生成系AIに限ったことではありません。例えばスマートフォンにはさまざまな機能があります。そして、多くの人はそれらすべての機能を使わなければならないと考えがちです。しばしば「１２０％使おう」などと言われます。しかし、必要でない機能まで無理に使おうとすると、仕事の効率は落ちてしまいます。

全体の２割程度が、重要性では８割を占めることがしばしばあります。例えば、自動車の部品のうち２割程度が、故障の原因の８割程度を占めると言われます。したがって、２割の部品に対処すれば、故障の８割に対処することができるわけです。これは「パレートの法則」と言われるものです。あるいは、全体の２割程度の人々の資産が、社会全体の資産の８割程度を占めています。これは「パレート分布」と呼ばれます。

ここで述べた使い方は、生成系ＡＩの機能のうち２割にもなりません。しかし、それによって、８割を使ったことになるのです。

なお、以上で述べたことは、私の仕事の特殊性による部分もあります。しかし、おそらく多くの仕事において共通することと思われます。少なくとも文章の翻訳・要約と校正において、生成系ＡＩが絶大な能力を発揮することは間違いありません。私の経験は、他の多くの仕事においても参考になるはずです。

第II部　どうすればアイディアを生み出せるか

第6章 アイディアを生み出すプロセス

1 アイディア発想は神秘的プロセスではない

アイディアはさまざまな場面で必要

アイディアは、さまざまな場面において要求されます。学者や研究者の仕事は、新しい理論や発見というアイディアを生み出すことです。

企業の仕事で、新商品や新しいサービスの開発は、アイディアの勝負です。それらを売り出すために商品名を考えたり、広告のコピーをどうするかにも、新しいアイディアが要求されます。また、新しいビジネスモデルを考え出すことも重要です。

アイディアが必要とされるのは、こうしたことに限りません。企業が事業を進める上で解決しなければならないさまざまな問題にどう対処するか？　そこでアイディアが毎日求められます。仕事を進める上で行き詰まりが生じたとき、トラブルが生じたとき、それらをどう解決するかということも頻繁に起こります。それらの解決のために、アイディアが求められます。

日常生活でも、ほんの小さなアイディアで、暮らしがずいぶん便利になり、快適になることがあります。

本書では、文章を書くことを主として想定しています。論文や評論を書くという仕事です。あるいは映画や演劇の筋書きや台詞などを考えたり、広告のコピーを考える、といったことです。ただし、ここで述べる方法論は、文章作成に限らず、あらゆるアイディア生産に関して、あてはまるものです。

アイディアを生み出すには方法論が必要

第Ⅰ部（とくに第5章）で見たように、ChatGPT にアイディア創出を求めることはできません。これは人間の仕事です。

では、どうしたらアイディアを生み出すことができるでしょうか？

「アイディアを生み出すには、自分の頭で考えよ」と、よく言われます。ある企業の研修用資料を見ていたら、「仕事で問題に突きあたったら、自分の頭で考えよう」と書いてありました。

もちろん、自分の頭で考えるしかないのですが、これだけでは何のアドバイスにもなりません。一見したところ、至極まともなことを言っているように聞こえますが、これでは答えを放棄していることにしかなりません。

何の役にも立たないこうした無責任なアドバイスではなく、「どうしたらアイディアが出てくるか」という具体的なアドバイスを研修で教えてくれなければなりません。

以下に述べるのは、そのような要請に応えるための方法論です。そして、程度の差こそあれ、さまざまな場面で応用できるものです。

発想や創造は、一部の天才の独占物ではない

「自分の頭で考えよ」と言われるのは、多くの人が「発想や創造は、これまで存在しなかったものを新たに生み出すことだ。だから、それは崇高な知的営みであって、自分にはできない」と捉えるからでしょう。実際、多くの人が「発想や創造など自分には関係ない。それは、能力のある人々だけに許された神聖な領域だ」と考えて、最初から尻込みしています。

しかし、こうした考えは、人々を発想や創造の作業から遠ざけるものです。この立場をとれば、「発想や創造という高級な知的活動には、普通の人は近づけない」ということになります。

しかし、これは大きな誤解です。発想や創造は、一部の人だけに許された特権ではありません。発想や創造は、一部の天才の独占物ではないのです。これこそが、発想や創造の問題を考える際に、最初に確認すべき最も重要なポイントです。

斬新なアイディアも、既存の概念の再構築による

アイディアは、天才の頭脳から突然、湧き出るわけではありません。いかに独創的な

アイディアでも、これまで存在していたアイディアの新たな組み立てや、再構築から誕生します。

学問においては、新たな理論は既存の研究の改善から生まれます。「コペルニクス的転回」と称される地動説も、コペルニクスが独自に構想したものではなく、彼が学生のときに習ったフィチーノの太陽論に基づいています。

学界の定説に反して新説を提唱し、ノーベル化学賞を受賞したピーター・ミッチェルは、「私たちは皆、他の人々の肩の上に立っている。まだ誰も思いついていない領域で貢献するということは、想像できない」と述べています(注1)。また、「科学的創造力とは制約された創造性であり、物理学の進歩は創造的模倣によって達成される」という考えもあります。

天才数学者ガロアも、「創造はパイオニアの成果に、その起源を持つ」と言っています。ゲーテが「誰も模倣できない。なぜなら、それは悪魔が人間をからかうために作ったものだから」と評したモーツァルトの音楽でさえも、その起源は全面的な模倣だったのです(注2)。

ビジネスモデルの発想にも独創はない

アップルやグーグルなど、アメリカ巨大ＩＴ企業の企業価値が莫大なものになっています。それを支えているのは、アイディアです。ただし、このアイディアも、まったく新しいものではありません。

アップルのビジネスモデルの基本になっている「ファブレス」（工場のない製造業）という方式は、分業の考え方から出てきたものです。経済活動において分業が重要であることは、アダム・スミスの『国富論』の基本的な主張です。『国富論』の最初は、ピンを作る作業が分業によっていかに効率的になるかの議論です。

つまり、アップルの巨大な時価総額を作り上げているアイディアは、アップルが初めて作り出したものではなく、従来のアイディアを応用したものに過ぎないと考えること

（注1）三浦賢一『ノーベル賞の発想』、朝日選書２７９、１９８５年。
（注2）ゲーテの言葉は、エッカーマン『ゲーテとの対話』（岩波文庫）による。

ができるわけです。

マイクロソフトもそうです。同社は、インテルとの分業体制において、マイクロソフトがソフトを担当し、インテルが半導体を担当するという仕組みを確立しました。日本のコンピューターメーカーが、すべてを一社で行なおうとしたのとは対照的です。そして、どちらが勝ったのかは一目瞭然です。

同じことが、グーグルについても言えます。グーグルの検索エンジンが優れていたのは、重要と考えられるサイトを、結果の上のほうに表示したことです。そして、そのサイトの重要性を、リンクの数の多さで計ったことです。

このアイディアのために、グーグルのその間の著しい発展があったのです。ところで、このアイディアも必ずしもグーグルの独創ではありません。

研究論文を引用回数の多さでランク付けすることは、研究者の間ではごく普通のことです。グーグルの創始者であったラリー・ペイジとセルゲイ・ブリンは、当時スタンフォード大学の大学院の学生でした。彼らが論文ランク付けの方法を検索エンジンに応用したのは、ごく自然なことだったと言えます。

　このように巨大な経済価値を作り出しているアイディアは、必ずしも独創的なものとは言えません。それまであったアイディアを、新しい対象に適用したものであったということが言えます。

2　猿がタイプライターを打てばアイディアを生み出せるか

カード式発想法は有効か

「まったく新しいアイディアというものはなく、すべてのアイディアは、これまであったアイディアの組み合わせだ」ということは、前項で見たように多くの人が言っているのですから、間違いないと思われます。

「それなら、既存のアイディアのさまざまな組み合わせを、意識的に試みればよいではないか」という考えが出てきます。これが、かつて日本でも盛んに言われた「カード式発想法」の基本的方法論です。「カードに考え方やアイディアの断片を書き、それらを机の上に並べて、いろいろな組み合わせを試みる。そうした試みから新しいアイディアが出てくるだろう」という考えです。

このような手法が、しばしば「発想法」だと考えられています。こうした方法は、いままでも提唱されることがあります。

しかし、「カードに書いてアイディアを出す」という方法で新しいアイディアを得たことは、私は一度もありません。私だけではありません。この方式で生み出されたアイディアというものを、一度も聞いたことがありません。アイディアは、カードに思いつきを書き出しても、出てこないのではないでしょうか?

ただし、文章が複雑になって論理構成が混乱し、分かりにくくなったときに、それを整理するために紙に書くことは、私もしばしば行なっています。紙に書き出すと二次元に展開できるので、論理を整理するにはきわめて強力です。それによって、論述の順序を正しくすることができます。このようなことができるのは、紙だけです。この種の作業は、デジタルな文章作成手段ではできません。

なお、第4章の3で述べた「キーワード文章法」は、一見したところ、「カードの並べ替えによるアイディア発想法」に似ています。しかし、両者は基本的に異なります。

「カードの並べ替え」は、カードのさまざまな組み合わせを試み、そこから偶然にアイディアが生まれるのを期待するのです。

それに対して、キーワード文章法は、一定の論理に従ってキーワードを並べます。つまり、無駄な組み合わせは、最初から試みないのです。ですから、これは、後に述べるポアンカレの「審美眼の法則」に沿った発想法です。

猿がタイプライターを叩けば、どんな文章も打ち出せる?

人間は、カード式発想法のような機械的な方法でアイディアを生み出しているのではありません。そのことを示すのが、以下に述べる「無限の猿定理」と「ポアンカレの審美眼」です。

「無限の猿定理」と言われるものがあります。猿がタイプライターを打つ。デタラメに打つのですが、十分に長い時間をかければ、いつかはシェイクスピアの作品をも打ち出すだろう、というものです。

確かに、文字の数は有限ですから、その組み合わせの総数も有限です。したがって、例えば１０００字でできている文章の総数は有限。だから、猿がさまざまな組み合わせを試みれば、シェイクスピアの名作の一部も、いつかは必ず打ち出されるということになります。

それだけではありません。それを超える文章も打ち出されるはずです。さらに、今後書かれるであろうすべての文章も、打ち出されるはずです。

仮に、「すべての思想は文章で表現できる」という立場をとれば、人間が考え得るすべての思想は、猿のタイプライターで打ち出されることになります。

しかし問題は、猿がシェイクスピアの名文（あるいは、何か特定の文章）を打ち出すまでには、途方もない時間がかかってしまうということです。宇宙が誕生してから現在までの時間をかけても、可能な組み合わせのほんの一部しか打ち出せないのです。

これを、第5章の2で述べた俳句について、具体的に示しましょう。俳句の字数は17字なので、いろは48字で作れる俳句の総数は、48の17乗です。これは、約３・８掛ける10の28乗になります。

他方、仮にChatGPTが1秒に一つの俳句（意味をなしていないものも含めて）を作るとすれば、1年間に作れる俳句の数は、60×60×24×365です（これより速いスピードでChatGPTが作れても、人間が読むことはできないでしょう）。これは、約3・15掛ける10の7乗になります。

宇宙誕生は約138億（約1・38×10の10乗）年前と言われているので、宇宙誕生の日から現在まで俳句を作り続けたとすれば、その総数は、約1・38×3・15×10の17乗個。つまり、約4・35×10の17乗個です。

ところが、前述した俳句の総数（約3・8×10の28乗）は、この約「0・87×10の11乗」倍です。つまり、約1000億倍です。このように、宇宙誕生から作り続けても、まだ可能な組み合わせのごくごく一部（約1000億分の1）しか作れていないということになります。

第5章の2で、「俳句の字数は少ないから、新しいものを生み出すのは大変」と言ったのですが、右のような計算をすれば、「可能な組み合わせは、まだまだある」とも言えます。

ところで余談。可能な俳句総数の計算をやらせたところ、Bardは正しい答えを出しましたが、Bingは間違えました。
もう一つ余談。実際に猿にタイプライターを叩かせる実験が行なわれたことがあったのですが、猿はSの文字を打ち続けただけだったそうです！

ガモフの自動印刷機械

物理学者で科学解説者であるジョージ・ガモフも、『宇宙＝1、2、3…無限大』（白揚社、1992年。原著は1947年刊行）の中で、同じことを、「自動印刷機械」という形で説明しています。

さまざまな文字の組み合わせを試みる印刷機械を作れば、十分長い時間のうちに、これまで書かれたどんな文章も印刷されるだろうというものです。

しかし、猿が打ち出すタイプライターと同じように、自動印刷機械の場合も、すべての組み合わせを印刷するためには、あまりにも長い時間がかかってしまうので、実際には、この方法でシェイクスピアの名文を印刷するのは不可能です。

ところで、ガモフは、この話を紹介したあとで、つぎのように強烈な皮肉を放っています。

「（もしこの方法でよい文章を書けるのなら）こんな印刷機を地下に備えている出版社は、莫大な量のゴミの中から適当な部分を選びだして編集するだけでよいだろう。どうせ、いまでも、出版社はこれと同じような仕事をしているのだから」

ポアンカレの「審美的洞察力」

これまで述べてきたことは、創造的活動がどのようなものであるかについて、重要な示唆を提供しています。創造的活動とは、すべての組み合わせを機械的に試し、その中から適当なものを選ぶ行為ではないのです。

本章の2で、「新たなアイディアとは、すでに存在するアイディアの組み合わせである」と述べました。しかし、新たなアイディアを見つけ出した人は、すでに存在するアイディアの多種多様な組み合わせをすべて試し、その中から優れたものを選んだのではありません。

無益な組み合わせは、最初から試さない。そして、一定の方向性に従って組み合わせを試みたのです。そうでなければ、制限された時間内で、意義深い結果を生むことは不可能です。

思考のプロセスで必要なのは、無数の組み合わせの中で無意味なものを排除することなのです。人間の創造的活動は、猿がタイプライターを打つことや、自動印刷機械が印刷することとはまったく異なるメカニズムによって、潜在的なレベルで行なわれているのです。

これが具体的にどのようなメカニズムであるのかは、明確には理解されていません。しかし、少なくとも、多種多様な試みを機械的に行なっているわけではないことは確かです。

ポアンカレは、『科学と方法』の中で、このことを以下のように説明しています(注)。まず、「脳は不要な組み合わせや無意味な組み合わせを、自動的に排除する能力を持っている」ことを、つぎのように述べています。

「発見することは選択《せんたく》することである、とわたくしは述べた。しかし、おそらくこの選択という語は全然正しいとはいえないであろう。(中略)不毛な組合せは発見者の精神に浮ぶことすらしないのである。彼の意識界に現れるのは、真《まこと》に有用な組合せ（中略）ばかりである。」

そして、こうした選択を指導する原理は、きわめて微妙なものだと説いています。

「発見者の真の仕事は、たくみに選択を行なって、無益な組合せを除外すること（中略）にある。そして、この選択を指導すべき規則はきわめて微妙であって、正確な言葉をもってあらわすことはほとんど出来ない。言葉に述べるよりもむしろ感得すべきものである。」

さらに、「無駄な組み合わせを試さないのは、ある種の審美的洞察力による」という指摘が、このあとに出てきます。

人間は、このような直観的能力を持っています。それを用いなければ、創造は不可能です。

どのようにすれば、そのような活動を実際に引き起こすかについては、経験上さまざ

（注）ポアンカレ（吉田洋一訳）『科学と方法』、岩波文庫、１９５３年。

まなことが分かっています。以下では、そのことについて詳述します。

3 材料を頭に詰め込み、いつも考えていると、偶然にアイディアが生まれる

まず勉強が必要

では、アイディアは、どのようにして生まれるのでしょうか？

頭の中にすでにあるアイディアの組み替えによって新しいアイディアが生まれるのですから、それまでに考え出されたアイディアが頭の中に存在していなければなりません。つまり、材料を仕込まなければなりません。つまり、「勉強」が必要なのです。

アイディアは過去に学んだ知識の組み合わせから生じるとすれば、知識が多い人ほど、新しい組み合わせの可能性が高まるはずです。

「発想は新しいものを生み出すことだ」と考える人は、この過程を軽視しがちです。しかし、勉強のないところから生まれるのは、独善的なドグマでしかありません。「発想法を学べば、勉強という苦労をしないでアイディアが得られる」と思っている人もいま

す。

しかし、これは大きな勘違いです。

知識が多い人ほど、新しい組み合わせを見出す可能性が高まります。だから、「創造性教育の出発点は、詰め込み教育でなければならない」という結論が導かれます。これは、一般の常識と大きく異なる考えです。

偶然のきっかけで大発見

科学史における大発見の多くが、偶然のきっかけで生じています。誰もが知っている例として、つぎの2つがあります。

第1は、アルキメデスの浮力発見。湯船に入ったとき、湯船から湯が溢れ出すのを見、同時に自分の身体が軽くなったのを感じて、アルキメデスは浮力の原理を発見しました。「たまたま風呂に入ったこと」が、発見を導いたというわけです。

第2は、ニュートンによる万有引力の発見。ケンブリッジ大学にいたニュートンは、ペスト禍を逃れてリンカーンシャー・ウールスソープの故郷にいました。りんごの木から実が落ちるのを偶然見て、万有引力の法則を発見したと言われています。

この他にも、偶然のきっかけでなされた重大な発見がいくらでもあります。

ポアンカレも、自分自身の経験をいくつか紹介しています。ある種の関数について研究を進めていたのですが、何の結果も得られませんでした。あるとき、散歩に出かけるために乗合馬車の階段に足を触れた瞬間に、重要な着想が閃《ひらめ》きました。

また、別の日には、断崖の上を散歩しているとき、新しい着想が「簡潔さ、突然さ、直接な確実さを以《も》って」浮かんできたと述べています。

以上の例に共通しているのは、「思いがけないところで、思いがけない出来事をきっかけに、素晴らしいアイディアが生まれ、大発見がなされた」ということです。

では、これらの事実は、「新しいアイディアの発見は偶然に支配される」ということを意味しているのでしょうか？

そうであれば、われわれは、発見のために努力のしようがないことになります。われわれは、偶然をコントロールすることはできないからです。

しかし、そうではありません。これらの事例は、大発見がむしろ必然の法則に支配されていることを物語っています。それについて、以下に述べましょう。

「絶えず考察していた」ことが、大きな発見につながった

ニュートンは、「どのようにして万有引力の法則を見つけたのか？」と質問された際に、「常にその問題について考察していたから」と答えています。

彼はその問題についての考察を続けており、解決策が手元に迫っていたのです。そのとき、偶然にもりんごが落ちるのを目撃したことが契機となり、重大な発見へと導かれたのです。「考察し続けていた」からこそ、何気ない出来事が潜在意識の活動を刺激し、発見が達成されたのです。

ニュートンは、りんごが落ちるのを見たことから、引力の概念を思考し始めたわけではありません。したがって、契機はりんごでなくてもよかったのです。物が棚から落ちるのを見ても、同じ発見に至ったかもしれません。

実際、りんごが木から落ちるのを見た人は、人類の歴史上、ニュートン以前にも無数にいました。しかし、彼らの中には、ニュートンのような発見に達した人は一人もいま

せんでした。ニュートンだけが、それを達成したのです。それは、ニュートンだけが発見の直前まで思考を深めていたからです。

アルキメデスの例も、これと同じです。風呂に入って湯が溢れるのを見た人は、アルキメデス以前にもたくさんいました。しかし、浮力の原理を見つけることはできなかったのです。ポアンカレの事例も、まったく同じです。大切なのは、きっかけではなく、彼らが「思考し続けていたこと」なのです。

偶然の契機が生まれるかどうかは、環境に依存します。人と会話をしているとき、歩行中のとき。そして、このような環境は、自ら積極的に創出することができます。これらについては、第9章で詳述します。

チャンスは準備のできている者に微笑む

私自身も似たような体験をしばしばします。

例えば、文章を書いていて、適切な表現や単語が見つけられない場合があります。そんなとき、偶然に見かけた書籍や新聞で、ピッタリの表現を発見することがあります。

あるいは、それから連鎖的に、いくつかの表現を発見することもあります。

書籍や新聞に登場した表現は、「偶然見つけた」ものです。それが私の目の前に出現したのは、偶然のことです。しかし、適切な表現を探していたからこそ、書籍のある部分に引き付けられたのです。同じ文章を見ている人は他にも多くいるでしょうが、彼らはただパラパラと読み進めただけでしょう。逆に、私が見落としたことから、重要な発見をした人もいるかもしれません。

同じような体験は、他にもあります。例えば、抽象的な概念を説明するには、具体的な例を示すのが適していますが、適切な例が思い浮かばない場合があります。そんなとき、街を散歩していて目にとまったものから、「これだ」と思い至ることがあります。

これも、例証を求めていたからこそ、見つけることができたのです。考慮中であったために環境を吸収する能力が強まっており、その結果、偶然のきっかけを捉えることができたのです。

きっかけは偶然であり、制御できません。しかし、重要なのは、それを待ち構えていた姿勢です。それがあれば、きっかけは特定のものでなくて、他のものでもよいのです。

きっかけが何であるかは、それほど重要ではないのです。

ルイ・パスツールは、「発見における運の役割は？」と問われて、「機会は準備のできている者に微笑む」と答えました。[注1]

『科学と創造』の著者であるアメリカのジャーナリスト、ホレス・ジャドソンは、「偶然は準備の整った実験室を好む」と述べました。[注2]

発見の条件は、「思考を続けること」です。考えていないときにアイディアが突如として降ってくることは、あり得ないのです。「思考中であること」こそが、アイディアを生み出すのです。これは、非常にシンプルな答えで、あまりにも当然すぎて驚くかもしれません。しかし、これこそが「発想」のメカニズムに関する真髄《しんずい》なのです。

強いモチベーションが必要

以上で述べた原理によると、創造力を引き出すためには、第1に学習という形でのデータの取り入れ、第2に適した環境の構築が求められます。

しかし、これだけで十分かというと、そうではないのです。眠って待っていても、アイディアは生まれません。創造は、宝くじが当たるのをぼんやりと待つのとは異なります。積極的に探求し、挑戦しなければ、何も生じません。

さらに、時間をかければ結果が出るというわけでもないのです。真剣さがなければ、結果は決して得られません。

そして、必要性がなければ、人は真剣になることはできません。だから、何としてでも創造したいという、強烈なモチベーションが必要です。そうでなければ、寝ることや食事を忘れて仕事に没頭するような状態にはなりません。どんな仕事においてもモチベーションは重要ですが、とくに知的労働において重要なことです。

この観点から、「必要は発明の母」であると言えます。必死に思考した結果、発明が生まれたのです。ここで言う「必要」は、名誉への欲求でもよいし、金銭的な欲求でもよい。また、単純な好奇心でもよいでしょう。

（注１）アイラ・フレイトウ（西尾操子訳）『あっ、発明しちゃった！』、アスキー出版局、１９９８年。
（注２）三浦賢一『ノーベル賞の発想』、朝日選書２７９、１９８５年。

実際、多くの科学的発見は、研究者の純粋な好奇心から生まれています。多くの場合、強烈な好奇心こそが、創造を生み出す最大の推進力です。

ヤングが言っていることも同じ

なお、以上で述べたことは、ジェームス・W・ヤングが、発想に関する古典的名著『アイデアのつくり方』（CCCメディアハウス、1988年）の中で言っていることとほとんど同じです（ヤングは、広告代理店の仕事で成功したアメリカの実業家）。いま改めて読み直して、驚くほど似ています（昔読んだこの本に、私が影響されているという面はもちろんあるのですが）。

彼は、アイディアを生み出すための基本原理は、つぎのことだと言います。

第1に、アイディアとは、既存の要素の新しい組み合わせ以外の何物でもない。

第2に、新しい組み合わせを作り出す才能は、事物の関連性を見つけ出す能力によって高められる。

第３に、資料を収集し、それを咀嚼《そしゃく》することが必要。

第４に、常にそれを考えていること。

ヤングと本書との違いは２つだけ。第１に、ヤングは、「アイディアを出すことに興味がない人もいる」と言っています。確かに、態度の差は重要です。本章の１で、仕事上の行き詰まりやトラブル、そして日常生活上の問題も、アイディアで解決できることがあると述べました。「こうした事柄についても、アイディア次第で問題が解決できるだろう」と考えるかどうかが、大きな差をもたらすのです。

第２に、ヤングは、カードの利用が有用であるとしています。ヤングの時代にはＰＣもスマートフォンもなかったので、いまとは事情が大きく違います。

本書では、第７、８、９章で、カード式発想法とはまったく違う仕組みを提案しています。いまであれば、ヤングも私の方法に賛成してくれるでしょう。

第7章 仕事をすることで創造する

1 「テーマと問い」こそ重要

アイディアを見つけるには、考え抜くしかない

新しいアイディアは、待っていれば天から降ってくるものではありません。また、アイディアがほしいと願うだけで見つかるわけでもありません。そして、「アイディア製造機械」のようなものも存在せず、ＡＩに要請してもよいアイディアが生まれるわけではありません。

大切なのは、自ら考え抜くことです。何かを探し、さらに探し続けることが必要です。

それには、アイディアを得たいという強い願いと共に、さまざまな努力が求められます。さまざまな情報を集め、それをもとに考え、見つけ出すのです。

また、アイディアが生まれやすい環境を作り出すことも重要です。生まれたアイディアを逃さずにキャッチし、キャッチしたアイディアを大切に育てていくことが求められます。

このための具体的な方法を、以下に提案します。これは書籍や論文を書く場合だけでなく、他の場面でも有効です。仕事上での問題を解決するために、また新しいビジネスの方法を開発するためにも、これらのアプローチは大いに役立つでしょう。

テーマこそ重要

文章を書く場合に最も重要なのは、「そもそも何について書くか?」ということです。私は、『「超」文章法』（中公新書、2002年）で、「問題を捉えること」が8割の重要性を持つと述べました。問題の捉え方、つまり「テーマの選択」や「目的の選択」こそが、創造活動の第一歩なのです。

テーマは、金鉱のようなものです。よいテーマを見つけられれば、そこから大量の金を掘り出すことができます。しかし、テーマが見つからなければ、どんなに努力しても、金は掘り出せません。

ここで注意すべきは、テーマの重要性は、研究者や著作者に限らないということです。組織の一員として仕事をしている場合でも、この問題があります。

「何をすべきか」についての大まかな方向は、上司の判断によって決まることが多いでしょう。しかし、その方向づけの枠内で、具体的にどの観点から問題を見て、どのように処理するかについては、あなた自身の判断が求められます。その判断において、テーマの選択は非常に重要な要素です。

テーマに関し、需要と供給の法則がある

「テーマに関する需要と供給の法則」と言えるものが存在します。これは書籍や論文のテーマを選ぶ場合に、とくに重要です。

多くの人は、需要が大きいテーマ、つまり、多くの人々が求めている、あるいは関心

を持ちそうなテーマを選びます。しかし、このようなテーマに対しては、供給も多いのが普通です。多くの人々が、そのテーマについて書いています。ですから、新しい寄与をするのは難しいでしょう。

自分自身の相対的な位置を考えることが必要です。そうしなければ、あなたの作品は大量の供給の中に埋もれてしまうでしょう。

逆に、あなた以外の人が書いていないようなテーマを見つけることができれば、あなたは有利な立場に立つことになります。あるいは、多くの人が誤解していることを指摘する。または、問題に対するアプローチを変えて、まったく別の視点から検討するなどの方法も有用です。

つまり、多くの人の考えをただ受け入れるのではなく、それにチャレンジすることが求められます。

以上で述べたことは、書籍や論文のテーマに限りません。「何をしたらよいのか？」「どんな職業に就いたらよいのか？」などの選択においても重要です。

需要が大きいものに対応することはもちろん重要ですが、それだけでなく、自分はど見つけることがとても重要なのです。

のような供給ができるかを考えることも大切です。このような需要と供給のバランスを見つけることがとても重要なのです。

AI時代に、テーマ選択の重要性は高まる

AI時代においては、テーマ選択の重要性が一層高まります。情報技術の進歩によって、適切なテーマさえ見つけられれば、そのテーマに関する情報をインターネットから容易に探し出すことが可能となったからです。

30年ほど前であれば、よいテーマを見つけたとしても、それを分析するための情報を収集するのは難しいことでした。文献を探し出し、統計データを解析するために、大変な作業が求められ、多くの時間と労力が必要でした。

しかしいまは、ウェブを活用してデータや情報を検索し、集めることが容易になりました。ですから、情報を集める作業に比べて、どのテーマを選ぶかという選択の重要性が一層高まったのです。

2「クリエイティング・バイ・ドゥーイング」

クリエイティング・バイ・ドゥーイングとは？

「クリエイティング・バイ・ドゥーイング」とは、「仕事をしながらアイディアを生み出す」ということです。仕事を続けていることが、新しいテーマを見出す重要な鍵となるのです。

なぜなら、仕事を続けていると新しい疑問が生じ、それに対する新しいアイディアが思い浮かんだり、新しいテーマが見つかるからです。この言葉は私の造語ですが、「ラーニング・バイ・ドゥーイング」（試行錯誤しながら学ぶ）をもじったものです。この考えは、『書くことについて』（角川新書、２０２０年）で提唱したものです。

テーマを見出せるのは「仕事をしているから」

原稿を書く仕事をしているときに新聞記事を眺めると、新しい質問が見つかったり、新しい問題が浮かんだりします。仕事をしていることによって、具体的な質問や、その答えとなる新しいアイディアが生まれるからです。原稿を書いていると、ただ記事を読むだけではなく、記事の内容が原稿と融合し、新しい視点やアイディアが生まれたりします。

また、人との何気ない会話からもアイディアが生まれることがあります。これも、仕事をしているからです。同じ会話でも、アイディアを引き出せる人もいれば、引き出せない人もいます。この違いは、その人が、仕事をしているかどうかによるのです。

3 とにかく始める

仕事を始めるのが一番難しい

2で、「仕事を続けているうちにアイディアが生まれる」と言いました。しかし、仕事の中で一番難しいのは、出発することです。物体については出発する際に慣性がありますが、知的作業においても、同じような慣性があるのです。

知的作業の場合、出発することが最も重要です。仕事を始めれば、考えが進み出し、そして完成に向けて進行します。つまり、準備ができていなくても始めることが重要なのです。テーマが見つからない場合でも、始めるべきです。なぜなら、テーマは簡単には見つからないのが普通だからです。

「周到な準備をしてから始める」と考える人が多いでしょう。しかし、準備ができてから始めようとすると、なかなか出発できません。そこで、「準備なしに、仕事をとにかく始める」というアプローチが必要です。最初の一歩を踏み出せば、物事は進展します。

すると、条件が変化し、新しい世界が開け、つぎの一歩への道筋ができます。

それを実現するために、以下にいくつかの具体的な方法を提案します。それは、思いついたアイディアを逃さないようにする仕組み、アイディアを育てていく仕組み、そしてアイディアをまとめて組み上げ、構成していく仕組みです。これらを、ぜひ実行してください。

始めれば完成する

始めなければ完成しないのは、当然のことです。つまり、始めることは、完成のため

図表7-1　文章を書く2つの方法

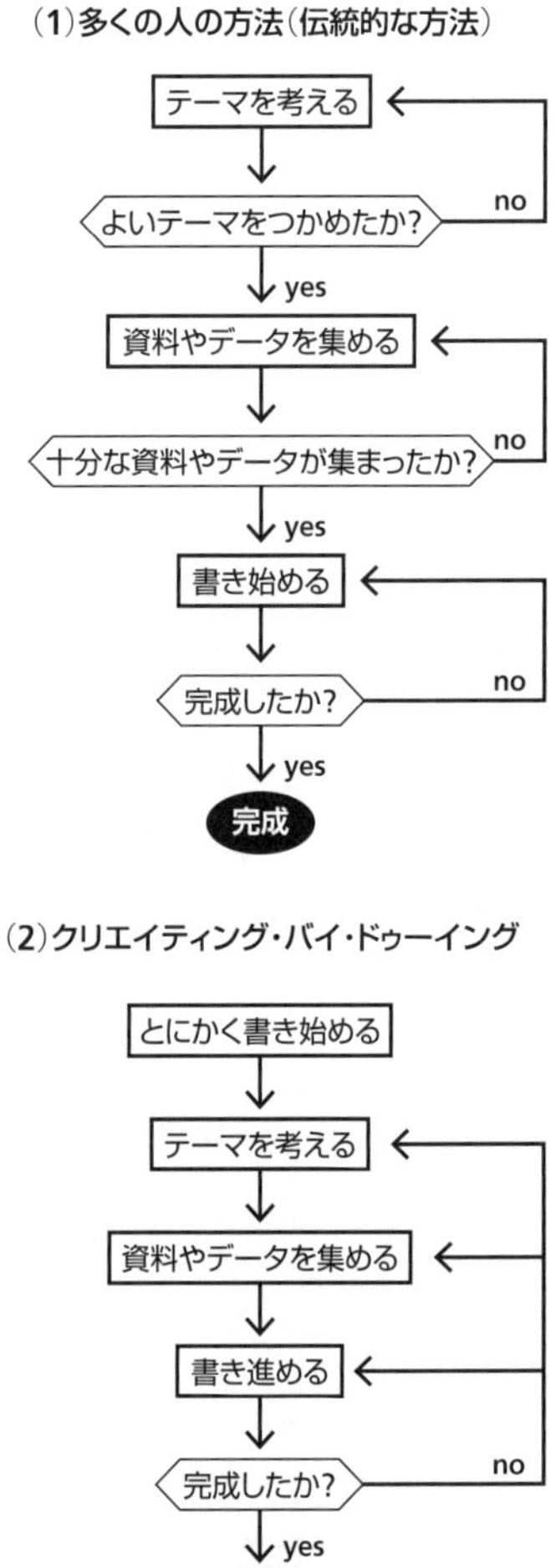

の必要条件です。しかし、ここで主張しているのは、「始めれば完成する」ということ、つまり、始めることが完成のための十分条件だということです。

もっとも、現実には、始めたけれど完成できなかった場合もあるでしょう。ですから、厳密に言えば、「仕事を始めれば、多くの場合に完成する」ということです。

始めた仕事を完成させることは、仕事を始めることに比べれば、ずっと簡単であることを忘れないでください。この視点が、あなたが抱える課題やプロジェクトに新たな視野を開くことでしょう。

以上の考え方は、文章を書く2つの方法として、図表7－1にまとめられています。

4　音声入力でアイディアを逃さない

修正できるから、始めるのが楽になった

かつて、私たちは紙に原稿を書いていました。その時代、書き始めるのは大変でした。紙とペンを手に取り、仕事を始めようとするのですが、その前に立ちはだかる壁はなかなか乗り越えられませんでした。

しかし、ＰＣを用いて書くようになって、状況は大きく変わりました。あとになっていくらでも修正できるために、気軽に始められるからです。

それでも、一定の障壁がまだ存在します。ＰＣに向かって座り、ＰＣを起動し、適切

なファイルを開く。これらを行なうだけでも、依然として簡単ではありません。

しかし、いまでは立ったままで、スマートフォンを取り出し、メモ（私は、グーグルドキュメントを利用しています）を開くだけです。音声入力によって、まるで魔法のようにテキストファイルの原稿ができます。始めるのが簡単になり、アイディアを素早く形にすることが可能になりました。

短期記憶はすぐなくなるので、絶対にメモが必要

メモをうまく取り、それを適切に活用することによって、仕事の効率は大きく向上します。メモは知的活動の基礎であり、きわめて重要な役割を果たします。なぜなら、人間の脳は短期記憶の保持能力が低く、また、一時に一つのことしか考えられないからです。前に考えていたことを、すぐに忘れてしまうのです。

しかし、メモによって考えていたことを残すことができれば、以前の状態を復元することができます。人間は、文字の発明によって、短期記憶の制限を克服しました。文字は人間を他の動物とは決定的に違う存在にした、基本的な要素です。

メモを取ることは、自分自身との対話でもあります。アイディアや考えを言葉にすることで、それらをより明確に、深く理解することができます。そして、それを適切に活用することによって、仕事の効率が大きく向上します。

メモを取る習慣を身につけることは、創造性や生産性を高めるための重要なスキルです。自分の思考を記録に残すことで、新たな発見やアイディアの萌芽《ほうが》を逃さずに済みます。メモは私たちの頭脳の延長線上にある外部記憶装置であり、頼りになるパートナーなのです。

しかし、メモは難しい

メモを取ることは、知的活動をしている人にとって重要な仕事です。しかし、それは決して簡単ではありません。なぜなら、何か思いつく度に思考のかけらを書き留めるのは面倒だからです。ところが、考えがまとまってからメモしようとすると、忘れてしまいます。

多くの人は、重要と思われることだけをメモしようとします。しかし、それほど重要ではないと思われることでも、あとで重要になることがしばしばあります。ですから、どんなことでもメモすべきです。

考えがまとまるまで、メモするのを待つ必要はありません。あとで編集ができるので、思いついたことを、どんどんテキスト化して残すべきです。思いついたこと、アイディア、書籍や新聞の記事、誰かの発言など、どんなことでもメモすることによって、思わぬ発見があるかもしれません。

メモを取ることで頭の中のアイディアを目に見える形にすることができ、そのアイディアを発展させることができます。また、表現に行き詰まった場合も、とりあえずメモしておくことで適切な表現方法をあとで見つけることができます。

ただし、メモを取ったあとに問題となるのが、メモの行方不明です。メモ帳にまとめて書いていても、メモ帳がいつも手元にあるわけではありません。紙片に書くと、他の紙片と紛れて、すぐに見失ってしまいます。

ですから、メモを取る際には、メモを見失わないようにするために、メモの整理や保存方法を工夫する必要があります。

思いついたことを、音声入力ですぐにメモする

音声入力を利用することによって、簡単に、かつ迅速にメモを取ることができます。文章が正確でなくても構わないので、気楽にメモを作成することができます。また、デジタル形式のメモは紙のメモとは異なり、紛失のリスクがありません。

どのファイルに書き留めたかを忘れてしまっても、適切な保存システムを整えておけば、あとから閲覧することができます（具体的な仕組みは、第8章で説明します）。

仕事をしていると、必ず何かしらの思いつきがあります。思いついたことをスマートフォンに向かって話すだけでよいのです。朝起きたときにテーマが浮かぶかもしれませんし、新聞記事を読んでいる際にも何かを思いつくことがあります。とにかく思いついたことを音声入力でメモすることが重要です。

ブレインストーミングを行なったあとは、脳が刺激されて問題意識が鮮明になります。ブレインストーミングが終わったら、直ちに音声入力でメモを残しましょう。また、文章を書き進めていく中で、関連するアイディアが浮かび上がることも、しばしばあるで

しょう。

このように、音声入力を活用することによって、メモを手軽に作成し、問題を解決する手段とすることができます。

歩きながらアイディアを生み出す

私は以前、アイディアを紙のメモに書き留めていました。しかし、スマートフォンの音声入力に切り替えたことで、メモを取る効率が驚くほど向上しました。とくに重要なのは、アイディアが逃げる前に、素早くメモできるようになったことです。

これによって、紙のメモの必要性が著しく低下しました。かつては外出時にメモ用紙やペンを持参し忘れると、困ることがよくありましたが、いまはスマートフォンさえ持っていれば、心配することはありません。

そのため、私の生活スタイルには大きな変化が生じました。メモ用紙の使用は激減しました（ただし、紙はさまざまな場面で、依然として非常に便利です）。

歩きながらアイディアを生み出すことができるのは、スマートフォンの音声入力のおかげです。アイディアが浮かんだ瞬間に素早くメモを残せるので、失われることなくアイディアを収集することができます。創造プロセスにおいて、歩きながらアイディアを生み出すことは、非常に重要な要素となりました。

文章作成は、スマートフォンに話すことから

私の文章作成は、スマートフォンに向かって話すことから始まります。歩きながらでも、ベッドに横たわっていても、入力が可能です。この方法によって、迅速かつ容易に考えをテキストの形にすることができます。

通常、話すスピードはタイピングするスピードよりも速いため、音声入力を使うことによって、文章を書く時間を大幅に短縮できます。例えば、散歩の30分の間に、2000字程度の文章を書くことができます（頭の中にそれだけの内容がある場合です）。

アナウンサーの話すスピードは、1分間に約300字と言われています。先日、私は70分の講演を行ない、それを主催者が文字起こししてくれたのですが、2万1000字になりました。つまり、私もアナウンサーと、ほぼ同じ速さで話していることになりま

す。

音声入力のスピードは、これとの比較では遅く感じられます。考えながら話すため、出来上がった原稿を読むよりも時間がかかるのは当然のことです。

音声入力の際、重要なポイントや強調したい部分は、明確にします。また、キーワードの誤変換に注意します。

私のスマートフォンの使いみちは、電話をかけたり地図を閲覧することではありません。ユーチューブで音楽を聴くことでもありません。私にとってスマートフォンは、音声入力のための装置と言っても過言ではありません。実際、私がスマートフォンを利用する時間のほとんどは、音声入力に費やされています。

音声入力は、頭の中を「見える化」する

音声入力によって文章を書くと、いろいろなことに気づかされます。例えば、散歩の時間にスマートフォンに話しかけようとしても、何も言葉が出てこないことがあります。それは、「私は何も話す内容を持っていない」ということです。あたり前のことですが、

話す内容を持っていなければ、音声入力機能も無意味です。

また、音声入力によって文章を書いてみて、適切な内容になっていないことに気づくこともあります。何度も同じことを言ってしまうこともあります。つまり、音声入力は私の頭の中を「見える化」する役割を果たしているのです。これは、重要な発見でした。

紙のメモでもできるが、成長させるのが難しい

思いついたことを書き留める方法として、紙片やメモ用紙、ノートなどの使用があります。これらの方法はどれも有効ですが、いつでもどこでも書くことができる点や、アイディアを成長させるための効率性を考えると、スマートフォンを用いてグーグルドキュメントに書くことを強く推奨します。

そして、その際には音声認識を活用することも強くおすすめします。

なぜこの方法を推奨するのかというと、書き留めたアイディアを成長させていくには、この方法が最も効果的だからです。紙片やノートに書き留めたメモでもアイディアを成長させることは可能ですが、効率的ではありません。また、ＰＣなどのローカルな端末

にデジタル形式で保存していても、アイディアの成長を促進するのは難しい。

アイディアを成長させるためには、文書がデジタル情報の形で記されており、かつそれがクラウドに保存されていることが必要です。クラウド上のドキュメントなら、どの端末からでもアクセスできます。これによって、アイディアを継続的に発展させることができます。

このように、デジタルな形態で記された文書をクラウドに保存することで、アイディアの成長をサポートする仕組みが機能します。これは、効率的かつ持続的なアイディアの発展を可能にする重要な手段なのです。

なお、グーグルドキュメントをPCで使う場合、「ツール」にある「音声入力」をオンにすると、音声入力ができます。きわめて精度が高く、専門的でない文章であれば、誤変換がほとんどないほどです。キーボードも同時に使えるので、スマートフォンの場合よりも誤変換の修正が簡単にできて、便利です（ただし、日本語の場合には、句読点や改行を認識しないのが欠点です）。

音声入力の誤変換対策

音声入力の頭痛の種は、誤変換です。日本語は同音異義語がきわめて多いので、これは深刻な問題です。

「下記の」と変換させようとして「カキノ」と言っても、ＡＩとしては、「柿の」「牡蠣の」「火気の」「夏季の」のいずれであるのか、判別できません。iPhone の Siri は、ついこの間まで、自分のことを「尻」と変換していました。

ただし、この問題に対しては、ある程度の対処が可能です。ＡＩは、文脈で意味を捉えながら変換しているので、ＡＩが理解できるように話せばよいのです。孤立した単語では誤変換が多くなるので、単語でなく、文章を入力する必要があります。

前述の例では、「下記の文章では」とすれば、誤変換の確率は低くなります。さらに、表現を変えて、「以下に示す文章では」とすれば、ほぼ間違いません。

最近はかなり頭がよくなっており、つぎの文章を入力したときに、前の文章の誤変換に気がついて、変換し直したりしています。誤変換した場所を押すと、変換直後であれば、変換をやり直すこともあります。

しばらく前までは、仮想キーボードからの入力とは異なり、個々人の特性に応じた頻度学習を行なっていなかったようでした。このため、同じミスを繰り返していました。私がよく使う言葉と、そうでない言葉を区別しないのです。

ただし、最近では、私の氏名を正確に認識してくれるようになりました。しばらく前までは頻繁に間違えていたので、これはAIの学習能力の向上を示すものです。

それでも誤変換は、かなり残ります。ところが、生成系AIを用いると、この問題に対処できることが分かりました。この具体的方法は、第4章で述べたとおりです。

体系ができれば、新しい考えが出る

以上の方法によって、さまざまなアイディアやテーマが文章の形で蓄積されます。

しかし、そのままでは混沌とした状態です。アイディアを成長させ、全体として意味のある体系に仕上げていくことが必要です。そのためには、効率的なデータ保存のシステムが不可欠です。

このシステムには、入力したものが失われないことと、必要なときに簡単に引き出せることが求められます。このための具体的な方法が、第8章で紹介する「超」メモのシステムです。

体系を作り上げておくと、アイディアが出やすくなります。全体の体系が整ってくると、抜けている部分や改善点について新しい考えが浮かんできます。それを適切な位置にはめ込むことができるため、新しいアイディアを書き留めることは容易です。

そして、これまで書いた部分との相互作用から、一層の発展が期待できるでしょう。

第8章　「超」メモで、アイディアを成長させる

1　「超」メモとは

求めるファイルをすぐに引き出せる仕組み

第7章で述べた「クリエイティング・バイ・ドゥーイング」を実践するための強力な道具が、「超」メモです。

情報が増えてくると、それを単に保存するだけでは、求めるファイルを引き出すことが困難になります。ほしい情報を取り出すためには、適切な体系を構築する必要があります。以下に示す方法は、『「超」メモ革命』（中公新書ラクレ、2021年）で提唱した手

法です。

この方法を使えば、いくらでも情報を保存できます。そして、必要なときに、素早く取り出すことができます。まさに「魔法のようなメモのシステム」が実現できます。

なお、「メモ」と呼んでいますが、「アーカイブ」（文書保管庫）と呼ぶほうが実態に合っています。私は、あらゆる原稿をグーグルドキュメントに書き、このシステムで管理しています。

その大枠を、以下で説明します。このシステムの詳細については、『「超」メモ革命』を参照してください。

クラウドに保存するため、どこからでもアクセス可能

なぜ、この方法が便利なのか？　それは、情報が使用者のデバイス（PCやスマートフォンなど）ではなく、クラウドに格納されるからです（「クラウド」とは、「インターネット上」という意味です。Gメールの場合、送受信の履歴は、利用者のデバイスではなく、グーグルのサーバーに保存されます。グーグルドキュメントも同様です）。

クラウドに保存した情報は、使用しているPCやスマートフォンが壊れたり、それらのデバイスをなくしても、失われることはありません。他のデバイスを使えば（パスワードを忘れなければ）、すぐにアクセスできます。したがって、データのバックアップを取っておく必要もありません。

そして、「超」メモのような適切な格納システムを整備すれば、情報が必要なときに、目指すファイルをすぐに見つけることができます。スマートフォンからでもアクセス可能なので、どこにいても、容易に閲覧したり記録したりすることができます。このため、思いついたアイディアをすぐに記録することができます。

「素晴らしいアイディアが浮かんだけれど、手元にメモ帳がない」「紙に書けば、なくしてしまう可能性がある。大切なアイディアなので絶対に失いたくない」「紙になぐり書きした文字を、あとになって読めない」

こうした問題に対処することができます。そして、メモの内容を逐次進化させて、最終的には書籍にまで育てることができます。

クラウドに保存すれば、比較参照ができる

文書がクラウドに保存されていると、編集作業は非常にスムーズになります。

第1に、最も重要なこととして、複数のファイルを対象とした検索機能が使えます。データが端末内に存在する場合には、一つの文書内での検索は可能ですが、複数のファイルに跨《またが》って検索することは、（不可能ではないですが）相当困難です。

第2に、異なるファイル、あるいは同一ファイル内の異なる箇所を比較参照することが容易になります。

原稿用紙に文章を書いていた時代では、この作業はごく簡単にできました。しかし、ＰＣを用いて文章を作成するようになると、この作業が厄介なものになりました。異なるファイルを見るには、画面を切り替えなければなりません。同一ファイルの異なる部分を参照するには、スクロールして移動する必要があります。参照したい場所が離れている場合には、これはかなりの手間です。文書内検索機能を利用すれば、ジャンプで移動し、終われば元の場所に戻ることができますが、それでも紙の場合に比べると不便です。

しかし、文書がクラウドに保存されていれば、複数の端末で異なるファイルを見たり、同一ファイル内の異なる箇所を見ることができます。したがって、一つの端末で文書の冒頭を見、別の端末で文書の最後を見る。そして、それらを比較する、といったことが簡単にできます。

紙に比べれば若干手間がかかりますが、ほとんどの場合、問題は大幅に軽減されます。

2 「いらないものを捨てる」という考えを捨てる

「いらないものを捨てる」ではノウハウにならない

「超」メモを効果的に使うために最も重要なのは、情報を捨てることにエネルギーを使うのではなく、必要な情報を探し出すためのシステムを確立することに努力を集中することです。

片付けや整理に関する書籍で、「捨てることの重要性」が頻繁に強調されます。「いらないものを捨てよ」というのです。

しかし、このアプローチには、3つの問題があります。

第1に、「いらないものを捨てる」というだけでは具体的な方法論にはなりません。それはノウハウに見えるかもしれませんが、実際には何の助けにもなりません。なぜなら、何が不要なものなのかを見分けるのは、きわめて困難だからです。

古くなったメモ用紙に書かれたメモにも、大切な情報が含まれている可能性があります。情報の価値は、見た目や形状で判断することはできません。不要なものを見分けるためには、方法論が求められます。それを提示せずに、単に「いらないものを捨てよ」とだけ指示しても、それはトートロジー（同語反復）に過ぎません。

第6章の1で、「自分の頭で考えよ」は、何の役にも立たないアドバイスであることを指摘しました。「いらないものを捨てよ」も、それと同じようなものです。こうした偽ノウハウが幅をきかせているのを見ると、怒りを覚えます。

情報保存のスペースに限界はなくなった

「不要なものを捨てる」という考えについて第2に指摘したい点は、モノと情報では、捨てる必要性の度合いが異なるということです。

捨てることが必要となる理由は2つあります。第1は、収納スペースに限りがあること。第2は、対象が増えるほど、必要なものを発見するのが困難になることです。

モノについては、これらの理由は現在でも存在します。不要なものを所持し続けると、新たなアイテムを収納するためのスペースがなくなります。また、必要なものを見つけるのが困難になります。

情報についても、紙媒体の場合には、同様の問題があります。かつて書籍、雑誌、新聞、文書など、大半の情報は紙という形で扱われていました。これらを継続的に保持するためには、不要なものを捨てる必要性がありました。

しかし、情報がデジタル化されると、状況は大きく変化しました。デジタル情報に関しては、収納スペースの限界は事実上存在しなくなったのです。情報をデジタル化して保存することによって、実質的に無制限に蓄積することが可能になります。

グーグルドライブを利用する場合

Gメールやグーグルドキュメントは、グーグルドライブというシステムで保存されます。このサービスは、無料で15GBまで利用可能です。容量を拡大したい場合には、月額250円で100GBまで増やすことができます。

1GBは、1MBの1000倍、1KBの100万倍に相当します。通常のテキストファイルのサイズはKB単位なので、15GBあれば、まったく十分と言えます。しかも、グーグルドキュメントやグーグルスプレッドシート（表計算ソフト）は、無料とされています。

画像はどうでしょうか？　画像データが1枚あたり1・5MBと仮定すれば、15GBでは約1万枚の画像を保存できます。容量を100GBまで増やせば、10万枚近くの画像を保存することが可能です。

動画の保存を考えていなければ、一般的な個人使用には十分な容量と言えるでしょう。

変化に対応する人が未来を築く

このように情報に関する条件が大きく変化したため、われわれの考え方と行動にも変革が求められています。一方で、データの量は急速に増大しており、データ管理の効率性は、仕事の成果に直結します。

それにもかかわらず、多くの人たちは昔ながらの方法に固執しています。環境の変化に気づいていても、行動を変える必要性に気づかない人もいます。過去のやり方にこだわり続けていては、データの激増に対応することはできません。

変化を正しく認識し、それに対応するための作業手順を見直すことが求められています。このような変革によって、新たな時代に対応していくことが可能となります。

データの保存容量に対する制約が事実上なくなったため、「必要ないものを捨てる」という考えを捨て、保存された情報の中から必要な情報を探し出すというアプローチに転換すべきです。この転換によって、新たな可能性が広がるのです。

ここで問題となるのは、「必要な情報をどのように抽出するか」ということです。これは容易な課題ではありません。このテーマについて、3と4で詳しく説明します。

3　ファイル名や検索機能によって目的のファイルを引き出す

「超整理法」の思想と同じ：利用したファイルを一覧の先頭に配置する

特定のファイルを探すために、以下の４つの手段が利用可能です。

第１の方法は、ファイルリストを開き、ファイル名を参照して必要なファイルを見つけ出すことです。これは最も手軽で、また確実な方法です。

「最終更新」を基準にファイルリストを整理しておくと、よく使用するファイルがリストの上部に集まるので、ファイル名を用いて簡単に探すことができます。

コンピュータサイエンスでは、この方法はＭＴＦ（Move to Front）と呼ばれています。ＭＴＦとは、「使用した情報を元の場所に戻すのではなく、先頭に移動させる」という意味です。

これは、「超整理法」の「押し出しファイリング」の思想です（『「超」整理法』、中公新書、１９９３年）。最もシンプルで、かつ強力な手法です。

システムを使用するほど、より容易にファイルを取り出せるようになります。それは、頻繁に使用するファイルが先頭に集まるからです。『「超」整理法』で採用している手法は、これだけです。

「超」メモでも、ファイルを保管し、MTFとファイル名を利用して目的のファイルを引き出すだけで、非常に利便性の高いメモ帳として使うことができます。

ただし、ファイルの数が増えてくると、これだけでは、必要なファイルを探し出すのが難しくなります。そのような状況において、どのように対応すればよいのかを以下で説明します。

目的のファイルを、検索機能を利用して見つける

目的ファイルを見出すための第2の方法は、検索機能を利用することです。

データがローカルなデバイスに存在すると検索は困難ですが、クラウドに保存されていれば、検索機能を使うことができます。

まず、ファイルの内容に関連すると思われるキーワードで検索を行ないます。特定のファイルに固有と考えられる複数の検索語を使用すると、目的のファイルを見つけ出す

ことが容易になります。

何年も前に作成し、保存したかどうかさえ定かでないファイルを、この方法で取り出すことができると、まるで魔法を使ったかのような感覚を味わえます。

しかし、ファイル数が増えてくると、検索だけでは目的のファイルを見つけ出すことが難しくなってきます。検索結果として表示されるファイルの数が多くなってしまうからです。

これへの対策として、重要なファイルには、一般的な文章には出てこない特別な単語（例えば、「ああああ」など）をあらかじめファイルに記述しておくという方法が考えられます。しかし、目的のファイルを確実に、しかも短い時間（できれば数秒以内）で見つけるのは、なかなか難しい課題です。

4 リンクを活用して目的のファイルを引き出す

ファイル間にリンクを張る

第３の方法は、ファイル間にリンクを張ることです。これは、目的のファイルを見出すための、最も信頼性の高い方法です。

目次ページを設け、そこから各ファイルにリンクを張ります。目次ページを開き、ファイル名を選択するだけで、すぐに目的のファイルを開くことができます。「リンク」も、データがクラウドに保存されているために活用できる方法です。

グーグルドキュメントはクラウドに保存されており、各ファイルにはＵＲＬが割り当てられています。したがって、これを利用して、手軽にリンクを作成することができるのです。

グーグルドキュメントをＰＣで開いている際には、画面上部に該当ファイルのＵＲＬが表示されます。これをコピーし、目次ページに貼り付けます。スマートフォンの場合は、共有ボタンをタップすると、ＵＲＬをコピーできます。そして、これを貼り付けます。

URLをコピーして貼り付けることは、初めて行なう場合は面倒に感じるかもしれませんが、慣れれば簡単な作業です。

これにより、目的のファイルを、確実に、そして多くの場合は、即座に見つけ出すことができます。

ファイルを見失わないように、適切なリンクの構造を作り上げます。とくに重要なのは、目次ページから直接目的のファイルにリンクを張るのではなく、中間にいくつかのサブ目次を作成し、「多層ファイリング」（多次元のリンク集合）システムとすることです。

この方法によって、非常に多くのファイルを管理することが可能になります。

私が現在、いくつのファイルを保有しているのかは正確には分かりませんが、数千個を超えていることは確かです。数万個の規模になっているかもしれません。

このように、きわめて多数のファイルから、目的のファイルをすぐに（多くの場合、数秒以内に）見出せることの効果は計り知れません。

「多層ファイリング」を構築する

リンクによるアーカイブの概念を理解するために、PCの「ブックマーク」（お気に入り）を想起してみてください。ブックマークに追加しておけば、クリックするだけで、ウェブサイトなどにアクセスできます。

しかしこれは、たくさんのサイト名が単に並べられているだけです。これを「一次元のリンク集」と表現しましょう。

項目が20個ほどであれば、この方法で管理できますが、項目がさらに増えると、目的の項目を見つけるのが困難になります。

「超」メモでは、すでに説明したように、多層ファイリングを構築します（図表8－1参照）。

第1層（これを「ルートファイル」と呼びましょう。前項で「目次ページ」と呼んだものです）では大まかな分類を行ないます。私の場合には原稿、生活記録データ、リンク集などです。

「原稿」という項目をクリックすると開くファイルには、「書籍」「連載」「その他」などといった分類を作ります。これを第2層と呼びます。

図表8-1　多層ファイリング

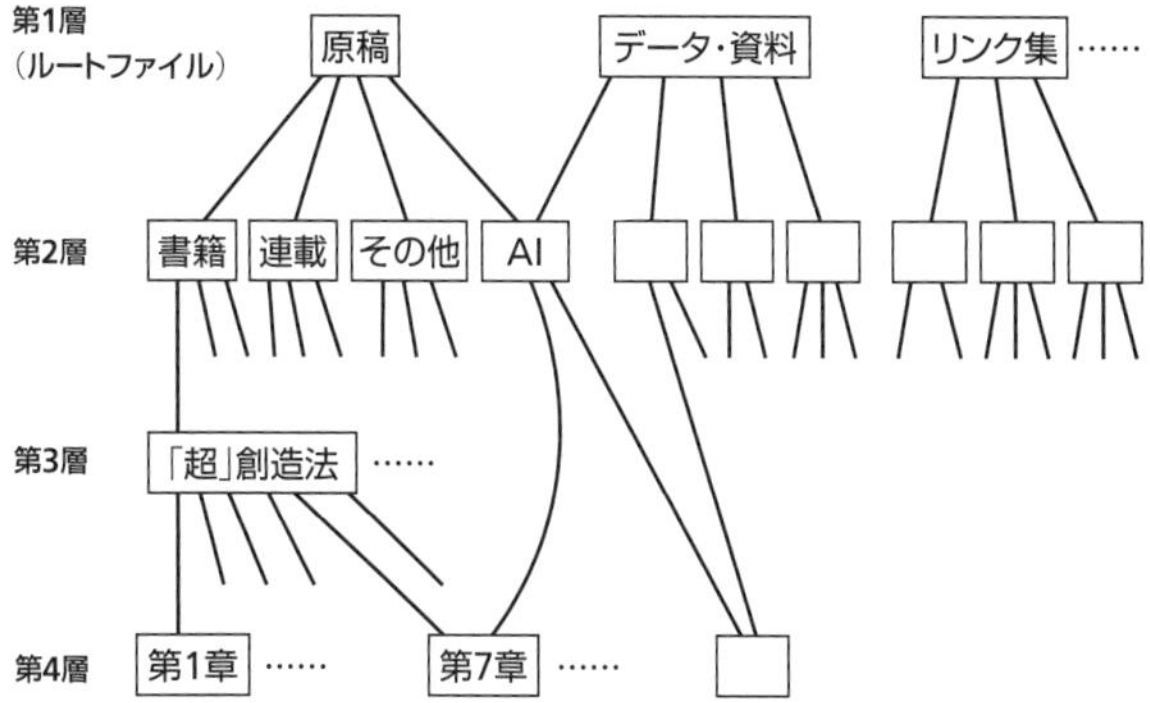

『「超」創造法』第7章には、2つのルートで到達できる（フォルダ方式との違い）。

「書籍」をクリックして開くファイルでは、各書籍のタイトルが並べられています。これが第３層です。

ここで目的の書籍名をクリックすると、その書籍の各章の目次ページが表示されます。これが第４層です。

そこから、例えば第７章を選ぶと、第７章の原稿が表示されます。これが第５層です。

このような構造を設けておくと、第１層からスタートし、リンクをたどることで、間違いなく、しかも素早く、目的の書籍の第７章の原稿を開くことができます。これにかかる時間は、わずか数秒です。

例えば、各層で10のカテゴリを作り、5層のシステムを作ったとすると、10の5乗＝10万のファイルを管理することが可能になります。3層でも数千のファイルを管理できます。

これは、他のシステムでは到底、管理できないほどの量です。この方法を使用すると、人間の脳の情報管理能力を超えることが可能になります。

リンク方式は、フォルダ方式に比べてずっと優れている

このファイリングシステムは、マイクロソフトのWindowsで用いられるファイリングシステム（フォルダ方式）と同一のものと思われるかもしれません。しかし、これら2つは根本的に違うものです。

フォルダ方式では、ルートファイルから目標とするファイルに到達するパスは一つだけです。つまり、あるファイルの親ファイルは、一つでなければなりません。そのため、そのパスを記憶していなければ、目標ファイルを見失う危険があります。また、フォル

ダの分類方法を変更したい場合には、面倒な作業になります。

それに対して、リンク方式では、ルートファイルから目標とするファイルに到達するパスは、複数存在しても問題ありません。つまり、親ファイルが複数あってもよいのです。そのため、目標とするファイルを見失うリスクが低いのです。また、ファイルの分類を変更するのも、非常に簡単です。

紙の書類をファイリングキャビネットで管理していた時代には、フォルダ方式を採用するしかありませんでした。デジタル化が進行し、情報を個々のデバイスに保存する時代でも、リンクを自由に張ることが難しかったため、フォルダ方式が主流でした。

しかし、情報をクラウド上に保管するようになったことで、このような多層ファイリングシステムを導入することが可能になったのです。

出発点ファイルへのアクセスを容易にする

「超」メモにおいては、ルートファイルは、すべてのページに至る起点となる重要なページです。そのため、いつでも確実に、かつ即座に開けるようにしておく必要があります。

しかし、このページは頻繁に参照はするものの、それほど頻繁に編集するものではないため、何も対策を講じないと、時間の経過と共にファイルリストの下方に沈み、見つけにくくなります（ファイル一覧を最終更新順にする場合）。

そのため、つぎのような措置を講じます。

（1）ルートファイル内で一字でも入力や削除を行なうことによって、更新と認識させます。すると、ＭＴＦの原理によって、ルートファイルが先頭群に維持されます。これは非常に簡単で、効果的な方法です。

（2）「ああああ」のような特殊なキーワードを設定し、それで検索を行ないます。４つの「あ」が連続するワードは他のファイルにはまずないため、ほぼ確実にルートファイルを検出できます。

（3）ルートファイルにスターをつけておく。

なお、作業にあたっての出発点ファイルは、必ずしもルートファイルである必要はありません。書籍を執筆しているときは、第3層にある書籍名のファイルに右の（1）、（2）、（3）の措置を講じておけば、そこから出発できます。これも大変便利な方法です。

索引がない本は、本ではない

書籍の場合、章、節、項と内容を分類するのは、フォルダ方式に相当します。そして目次を頼りにして、目的の箇所を見出します。他方、索引では、検索、あるいはリンクに相当したことが行なえます。このように索引は、書籍において大変重要な役割を果たしているのです。

私は「索引がない本は本ではない」と考えています。しかし、残念なことに、日本の本には、索引がないものがほとんどです。

デジタル情報であれば、そしてクラウドに保存してあれば、これまで述べたように、さまざまな方法によって目的の情報を探すことができるのです。

多層ファイリングで作ったプロンプト集

第１章の４で紹介したプロンプト集は、多層ファイリング方式で作られています。これをお使いになれば、多層ファイリングの強力さを実感していただけるでしょう。

先に述べたとおり、多層ファイリングでは、頻繁に利用するファイルは、複数のルートでアクセス可能とすることができます。私の場合、音声入力の校正プロンプトを頻繁に利用するため、３つのルートからアクセスできるようにしています。

あなたがご自身の「超」メモを構築されたら、そこからプロンプト集のルートファイル（49ページのＱＲコード参照）へのリンクを張ってください。こうしておけば、簡単にプロンプト集を利用することができます。

第9章　発想をうながす環境を作る

1　環境は創造に大きな影響を与える

創造活動のための環境を整備する

知的な活動は、環境によって大きな影響を受けます。アイディアが生まれやすい環境と、そうでない環境があるのです。

知的な人々に囲まれ、自由に集まって討議できる環境は、創造性を刺激するために理想的なものです。生活環境に快適な散歩道があれば、優れたアイディアが生まれる可能性はさらに増えます。常に知的な問題に挑戦している職場環境にいる人々は、創造的な成果を生み出す可能性が高いでしょう。

アイディアが生まれやすい環境を構築することは、非常に重要です。そして、そのような環境を作り出すことは、努力すれば、多くの場合に可能です。

とくに大学や研究機関では、こうした研究環境を作ることが重要です。企業においても、アイディアの価値が増している今日、このような環境の整備は必須の条件です。

逆に、創造活動を阻害する環境を指摘することもできます。例えば、会議や会見で一日中スケジュールが埋まっていたり、細かな業務と戦わなければならない状況では、新しいアイディアは生まれません。また、テレビに溺《おぼ》れた生活からも、新たな創造物が生まれるとは考えられません。

個人が創造的な意欲に燃えていても、組織がそれを抑圧すれば、優れたアイディアは実現されません。このような組織に長期間在籍していると、個人の創造性も低下してしまうでしょう。

これらを含め、私たちの周囲には創造活動を妨げる要素が多数存在します。創造が必要であると判断すれば、これらを除去すべきです。

集中できる環境でこそ創造が進む

科学における多くの偉大な成果は、集中できる環境で実現されました。科学的発見について共通する要素は、「集中可能な環境」です。

天才の周りにいた人々は、天才の驚異的な集中力にしばしば圧倒されました。ニュートンが『プリンキピア』を書き上げる際、作業に深く没頭した結果、提供された夕食を摂り忘れることが何度もありました。また、彼が訪問者を無視して、仕事に専念したという話も伝わっています。

アインシュタインが相対性理論を思いついた際、2週間も自宅の書斎に閉じこもり、誰とも接触しなかったとされています。また、数学者アンドリュー・ワイルズは、自宅の屋根裏部屋で「フェルマーの最終定理」の証明に取り組み、学会にさえ足を運ばなかったと言われています。

数学者ガウスがある問題に没頭していたとき、医師が「奥様が2階のベッドルームで危篤です」と知らせました。しかしガウスは、計算式から目を離さず、「少し待ってほしい。この問題を解く手がかりがつかめそうだ」と述べたと言われます（注）。

テレビとスマートフォン漬けの生活から脱却しよう

現代社会で創造活動の大きな障壁になるものとして、テレビやスマートフォンがあげられます（注：ここで「スマートフォン」とは、受け身でインターネットをブラウズしたり、ゲームを楽しんだりする行為を指します）。テレビ中毒やスマートフォン依存の生活様式から、優れたアイディアが出てくるとは思えません。

これは、テレビ番組の質が低いからだけではありません。もちろん、質の低い番組は存在しますが、すべてがそうではありません。問題となるのは、テレビ視聴時には頭が受動モードに切り替わり、能動的な活動をする能力が低下することです。テレビ中毒の生活習慣が続くと、頭は受動的な状態に慣れ、常にリラックスした状態を求めるようになります。

インターネットゲームはどうでしょうか？　「遊びが創造力を育む」という意見もありますが、ゲームは創造性を磨くトレーニングになるのでしょうか？　私は否定的です。

反応時間は短縮されるかもしれませんが、考える力を育てるものではないでしょう。

ゲームの最大の短所は、自由度が制約されている点です。ゴミをおもちゃに変えるためには、創造力が必要です。しかしゲームでは、一見すると可能性が広がっているように思えますが、デザイナーの設定した枠組みを超えることはできません。だから、創造性を発揮することは難しいのです。

インターネットゲームが創造力を育むことはありません。子供たちの環境からは、これらを排除すべきです。最低限、視聴や遊ぶ時間を制限する必要があります。

一方、子供が熱中できる何かを提供すべきです。それは物語を読むこと、昆虫採集、あるいは工作などです。子供が集中力を持って取り組める遊びは、創造性の育成に重要な役割を果たします。

しかし、現在の日本でこのような環境を望むのは、ほとんど不可能と言わざるを得ません。テレビやゲームから遠ざかると、友人との交流が難しくなるからです。テレビ中

（注）アイザック・アシモフ（星新一訳）『アシモフの雑学コレクション』、新潮文庫、1986年。

毒、ゲーム依存の生活様式は、深刻な問題です。

終日、作業に従事できることこそが幸福

私は、朝起きて仕事をし、昼まで仕事をして、午後も仕事をし、そして、寝るまで仕事をしています。つまり一日中、仕事をしています。

言い換えれば、無駄なことをしていません。例えば、委員会に出席して何時間も時間を取られるようなことは、昔から一切していません。

テレビ視聴も、私の生活には含まれません。私はせっかちで待つのが苦手なため、見たいニュースが放送されるまで待つことができないのです。

私にとって、一日中仕事を行なえるのが、最も楽しいことです。自由に時間を使うことができる状況を、深く感謝しています。

もちろん、食事の時間や入浴の時間もありますが、その間も私は仕事に取り組んでいます。

ノートパソコンやタブレットがあれば、食事中でも画面を見ながら作業することが可

能です。新聞を読むこともできます。消化に悪影響を及ぼす可能性があるため、あまり推奨できることではありませんが。

また、入浴は、考えごとをするのに最適な環境です。風呂に入っている間に、少なくとも一つは新たなアイディアを得ることができます。

ただし、何も考えないでいて、アイディアが降ってくるわけではありません。一日中考え続けているからこそ、環境が変わったときに閃くのです。デスクに向かっているときとは違い、新しい刺激が脳に与えられるのでしょう。

私が強調したいのは、作業を行なっているからこそ、アイディアが生まれるということです。これが、第7章で述べた「クリエイティング・バイ・ドゥーイング」です。

終日作業を行なっていると、目の疲労は避けられません。ただし、対策はいくつもあります。私は、ノートパソコンを大きなディスプレイにつなげて使用しています。これによって文字の大きさを調整できます。

さらに、画面の背景を暗くし、文字を明るく表示します。通常は白地に黒文字ですが、その配置を逆にします。私が利用しているテキストエディタでは、背景を濃い青色に、文字を黄色に設定しています。これによって、目の疲労を軽減することができます。

2 アイディアが生まれる場所は、書斎や研究室ではない

「三上」理論はいまでも正しい

「創造性が開花する環境」「豊かな考えが浮かぶ環境」とは、どのようなものでしょうか？

第6章で紹介した発見の事例を振り返ると、一定の法則が見られます。それは、「日々のルーチンからのわずかな逸脱」、あるいは「集中や緊張からの微細な環境の変化」が発想を生むことです。

書物を読む、論文を書く、あるいは実験を行なうといった活動は、書斎や研究室で行なわれます。しかし、アイディアが生まれる場所は、必ずしもそこではないのです。多くの場合、そこから少し離れた環境で、新たな発想が湧くのです。

古くから、アイディアが湧きやすいとされる場所として、「三上《さんじょう》」という概念があり

ます。これは、馬上《ばじょう》（または鞍上《あんじょう》）、枕上《ちんじょう》、厠上《しじょう》を指します（北宋の文人政治家、欧陽脩《おうようしゅう》の言葉）。

現代でも、これらの場所は少し変化しただけで、存在します。すなわち、散歩中、風呂の中、そしてベッドの上です。

ある位置にとどまって考え続けるよりも、リラックスした状態に移行した途端に、インスピレーションが訪れることがよくあります。作業に没頭したあと、デスクから離れる瞬間に、アイディアが湧きます。体勢を変えることによって、思考が新たな角度を見つけ、別の視点から物事を考えることが可能となるのかもしれません。

私自身も、書斎で作業デスクに向かうのは、資料を読むときや、ＰＣでの作業時です。その状況で考えることは、あまりありません。

考え込むときには、立ち上がり、家中を歩き回ります。そして、思いついたことを、スマートフォンに音声入力します。アイディアは、身体を動かさなければ生まれないのかもしれません。

この考えが正しいとすると、ロダンの「考える人」のポーズは、間違っているように思われます。あれは、「考えあぐねている」ときのポーズではないでしょうか？

集中のあとの微細な環境の変化で、「啓示」が得られる

第6章からここまでに述べた「創造性の法則」は、つぎのように集約できます。

「頭に素材が満たされていれば、わずかな環境の変化でアイディアが浮かぶ」

もちろん、重要なのは、環境の変化それ自体ではなく、それに先立つ深い集中です。

「無意識の創造性」を活性化させるために、「寝る前に素材を仕込む」というアプローチも可能です。睡眠中に素材が熟成し、朝目覚めたときにアイディアが湧くことを期待するのです。散歩に出る前や風呂に入る前も、同じです。そのためには、テレビなどの不要な情報に邪魔されないように注意が必要です。

「頭を素材で満たして歩く」のが、アイディア創出の最も確実な方法

「微細な環境の変化」を実現する方法として、「散歩」はきわめて効果的です。文章を書く仕事が難航したとき、公園を散策すると、新しいアイディアが湧き出ます。散歩は

図表9-1　アイディアはどのように生まれるか

「休憩」という受動的行動ではなく、積極的、能動的な活動なのです。

散歩中には、考えが突如現れたり、消えたりします。突然浮かぶのは、目前の現象とは無関係なものです。無意識の淵《ふち》から考えが浮上してくるのかもしれません。

脳を情報で充塡《じゅうてん》してから散策に出ると、「情報が脳内で混じり合い、新たな発想が生まれる」感覚になります。新鮮な空気が脳を活性化するのかもしれません。足下からの感覚が、創造力を駆り立てるという理論もあります。少なくとも、身体を動かすことは、思考にプラスの影響をもたらすようです。「散歩する」ことは、アイディアを得るための最も直接的で確実な手段です。

古代ギリシャの哲学者プラトンは、弟子に講義をする際に、歩きました。その弟子であるアリストテレスの学派は、「逍遥《しょうよう》学派」と呼ばれました。ニュートンやアインシュタインも、散歩を好んだと伝えられています。

ハイデルベルクや京都のような大学都市には、「哲学の道」があります。大学のキャンパスも、散策に理想的な環境です。このような環境は、都市の高層ビル群では得られないでしょう。

しかし、重ねて強調しますが、重要なのは、散歩に出る前に脳を情報で満たすことです。それがなければ、単なるリラクゼーションになります。私の経験は、これを強く裏づけています。

書籍の執筆中に散歩すれば、確実に何か新しいアイディアが浮かびます。しかし、集中的な作業をしていないときには、単なる散歩に終わります。頭が空の状態では、いくら揺さぶっても、何も出てこないのです。

3　朝起きたときにアイディアが浮かぶ

目覚めたときにアイディアが浮かぶ

朝起きたときにアイディアが浮かぶことも、しばしば経験します。「行き詰まっていたことについて、素晴らしい解決策が浮かぶ」のです。

こうしたことを経験した人は、他にもたくさんいます。数学者のフォン・ノイマンもその一人。毎朝、起きた途端にメモ用紙に突進していたそうです。

シューベルトが寝るときも眼鏡をかけていたのは、極度の近眼なので、寝ている間に浮かんだ着想を朝起きてメモしようとしても、眼鏡を捜しているうちに忘れてしまう。それを避けるためだったと言われています（真偽のほどは定かでありませんが）。

アイディアの逃げ足はきわめて速い

寝入り際に、アイディアが浮かぶときもあります。

ただし、この際にメモを取るのは至難の業です。半分寝ているわけですから、きわめて億劫《おっくう》です。「こんなに重要なことなのだから、忘れるはずはない」と思って、そのアイディアを繰り返し繰り返し頭に刻み込んでおくのですが、しかし、つぎの日の朝になると、きれいに忘れています。

何かとてつもなく素晴らしいアイディアが浮かんだということだけが頭に残っていて、内容は跡形もなく消え去っているのです。

アイディアを得たということだけははっきり覚えているので、余計に悔しい思いがつのります。

アイディアの逃げ足は、きわめて速いのです。人間の記憶には、短期記憶と長期記憶があり、何度も繰り返して頭の中に刻み込んだ長期記憶は、忘れることがありません。しかし、短期記憶は非常に速く消去されるのです。

短期記憶の中から長期記憶に残すべきことを選別する作業は寝ている間に行なわれるので、眠る直前のアイディアは、最も失いやすいものだということになります。

ただし、これについては、技術の進歩によって事態が改善しました。スマートフォンに音声入力しておけばよいのです。これなら、半分眠りながらでも行なうことができます。

つぎの日になってスマートフォンを見ると、すっかり忘れていた内容が残っていて、「なんと素晴らしいアイディアだろう」と自分で感心することもあります。

音声入力に乾杯！

このメカニズムを積極的に使う

寝入り際や朝起きたときにアイディアが得られるというこのメカニズムは、ある程度コントロールできます。とくに重要なのは、寝る直前に何をするかです。

仕事を続けて、頭の中をそのことで一杯にしておくのがよいでしょう。ベッドに入ってリラックスすると、それまで詰め込んだ知識がうまく結合して、新しいアイディアが出るのではないかと思います。また、夜寝ている間に、詰め込んだ知識の再構成が行なわれて、アイディアが出てくるのかもしれません。

逆に言えば、寝る直前にテレビなどを見ていてはだめだということです。頭の中は、テレビの番組で占領されて、新しいアイディアを考え出す動作は起きないでしょう。

もっとも、こんなことをやっていると、睡眠障害になってしまうのではないかと気になります。

そこで、医師に相談したことがあるのですが、「そんなことを気にする必要はないでしょう」と一笑に付されました。

4 発想のために対話や討論を行なう

ブレインストーミングでは誰を集めるかが重要

新しいアイディアは、異なる観点に触れることから生じます。知識が豊富な人々とのコミュニケーションは、これを可能にする最も有効な方法です。さまざまな課題をディスカッションすることができる環境は、思考の刺激にとって最適なものです。

ブレインストーミングは、こうしたプロセスを通じて新しい考えを引き出し、新たなアイディアを形成する試みです。その重要性は広く認識されています。

その手法についても、さまざまなアプローチが提唱されています（例えば、実際の議題を伏せて進行する方法など）。

しかし、重要なのは、方法論ではなく、参加者の能力です。複雑な手法に頭をひねるよりも、優れた参加者を集めることに焦点を合わせるべきです。

ブレインストーミングの結果は、参加者の資質に大きく依存します。資質が劣っていれば、どんなに独創的な手法を使用しても無駄でしょう。逆に、優秀な人材が参加すれば、特別な方法論に頼らなくても、多くのアイディアが自然に生まれます。

したがって、重要なのは参加者の選抜です。もちろん、それは実際には困難な課題です。

第5章で述べたChatGPT相手のブレインストーミングは、いつでもできるという意味で、大変便利です。しかし、優れた人間とのブレインストーミングには、はるかに及びません。

ブレインストーミングは、最低2人で行なえます。逆に、参加者が多すぎると効果が薄れます。10人以上になると、個々のメンバーの発言時間が短縮され、有益な議論が困難になるでしょう。おそらく、4、5人が最も効果的なサイズでしょう。

無秩序な会話にならないように、議論の進行役が必要です。ただし、メンバー間の上下関係が強く、発言に遠慮があると、うまく機能しません。大事なのは、自由で活発なディスカッションが生まれる雰囲気を作り出すことです。

積極的な意見は歓迎ですが、一人が議論を独占するのは避けるべきです。自己主張に集中する人がいると、議論が成果を上げることは難しくなります。

適切な人選とスムーズな議論によって、ブレインストーミングでさまざまなアイディアが生まれます。協調性とチームワークの力を使って、創造的な結果を獲得しましょう。

途中段階で読んでもらう

作業中の草稿を誰かに読んでもらうことは、きわめて重要です。これによって、自分自身では気づきにくい視点からのフィードバックが得られます。

他の視角から見ることで、見落としていた箇所や論理の飛躍が明確に分かり、自分が当然と捉えていた事柄が必ずしもそうでないことに気づきます。自分が認識していなかった誤りや、新たな視点が得られます。その結果、先入観や自己満足から解放されます。

効果は、それにとどまりません。他人のコメントを意識することによって、「読者の視点」が自分の中に生まれます。つまり、「どのように読まれるか」を意識することになるのです。このようにして、自分自身との対話が可能になります。

このプロセスにおいても、最大の課題は、読んでもらえる相手を見つけることです。これは、ブレインストーミングの場合より難しいでしょう。

読んでもらえる人を見つけることができれば、それは大変幸せなことです。そのような人たちを大切にしましょう。また、この作業は双方向のものです。相手から同じ要請があれば、喜んでそれに応じるように心掛けましょう。

インタビューを逆利用する

私は、以上で述べたこととは別に、新聞や雑誌のインタビューを、発想の場として重視しています。こうした機会を持てるのは普通ではないかもしれませんが、私がこのような場で実践している方法は、多くの人々にとって応用可能だと思います。

新聞や雑誌の記者は知的レベルが高い人々です。しかも、インタビューを行なう人々は、私と共通のバックグラウンドを持っていることが多いのです。これらの人々との会話は、私に多くの刺激を与えます。

多くの場合、インタビュアーの話が直接的に参考になるというよりも、私が答える過程で浮かんでくるアイディアが参考になるのです。つまり、アイディアを生み出しているのは私であり、インタビュアーはアイディアの「触媒」や「助産師」のような役割を果たすのです。

私は、このような状況で思いついたアイディアをもとに、多くのエッセイや評論を書いてきました。また、出版した書籍についてインタビューを受ける過程で、「あれを書くべきだった！」と思ったことが何度もあります（その後、それをもとに新たな書籍を執筆したこともありました）。

ただし、相手によって結果は変わります。私を刺激する相手もいれば、そうでない相手もいます。刺激を与えてくれる相手からのインタビュー申し込みであれば、忙しくても喜んで受けます。それは相手のためではなく、私自身のためです。

インタビューの際には、常にメモ用紙（ただのコピー用紙の裏紙ですが）を用意しています。私が思いついたことをメモするためのものです。相手の話を記録することが目的ではなく、私自身がのちに利用するためのものです。そのため、相手には見せません！

実は、インタビューだけでなく、講義や講演の途中で話しているときにも、新たなアイディアが頭に浮かびます。そのアイディアもメモします。

私は講義中にメモを取ることで、学生たちの間で有名でした。講義中や講演中は、自分がテーマに深く集中しているため、新たなアイディアが湧きやすいのです。大学の講義は学生の教育のためのものですが、教える側にとっても自己啓発の機会となるのです。

これは不思議なプロセスです。私が他人の意見を求めているわけではなく、私が一方的に話しているだけです。しかし、その一方的なプロセスが、発想の源となるのです。

まとめ：アイディアを生み出すには

第6章から本章までをまとめれば、アイディアを生み出す方法は、つぎのとおりです。

（1）とにかく仕事を始める。テーマが決まっていなくても、中身がなくても構いません。仕事を始めるための最も強力な方法は、音声入力を活用することです。考えていることを、何でもよいからメモします。

（2）音声入力メモを成長させていくことができるように、第8章で述べた「超」メモの体系を作っておきます。考えついたことや調べたことを、このメモに追加して、蓄積していきます。

（3）仕事を続けて、頭の中をそのことで一杯にした状態で、環境を変化させます。例えば、仕事机から立ち上がって散歩に出るなど。このときに、アイディアが浮かぶでしょう。あるいは、ブレインストーミングをします。あるいは、寝入り端《ばな》や起床直後にアイディアが浮かぶことを期待します。

第Ⅲ部　生成系ＡＩは社会をどう変える？

第10章　教育は生成系AIとどう向き合うか

1　ChatGPTを受け入れ、それを活用するための教育を行なうべきだ

生成系AIは、教育に根源的な影響を与える

教育は、ChatGPTなどの生成系AIによってきわめて大きな影響を受ける分野の一つです。そのため、教育のあり方の根幹を大きく変える必要があります。

日本におけるこれまでの対応状況を見ると、つぎのとおりです。

文部科学省は、生成系AIについて、学校での利用に関する留意点をまとめたガイドラインを2023年7月4日に公表しました。作文や小論文をそのままコンテストに応

募することを禁じるなど、不適切な利用を防止することが中心で、簡単に言えば、「ズル」を許さないということです。

また、いくつかの大学が対処方針を明示しました。東京大学は、4月3日の文書で、「レポートは学生本人の作成が前提。生成系ＡＩのみを用いて作成することはできない」としました。

「学生がレポートや卒業論文などを生成系ＡＩに書かせて課題を済ませてしまうと、学生は自分でレポートを書かなくなり、思考能力が失われる」という理由で、学生が生成系ＡＩを使うのを制限する学校が、これから増えるでしょう。

こうした方向づけは、間違いではありません。まず、大学・学校側としては、これが最も無難な対処法です。仮に利用を認めて問題が発生すれば、それに対処するのは大変です。禁止しておけば、問題が起きても「禁止したのに、それに従わない学生のほうが悪い」と言えます。

しかし、こうしたことだけで、生成系ＡＩが突きつけている本当の問題に答えることにはなりません。

第1に、ChatGPTなどを使ったかどうかをチェックするのは、不可能ではないとはいえ、かなり面倒です。

第2に、「使う」ということの意味がはっきりしません。ChatGPTに文章を書かせるにしても、第4章で述べたようにいくつかの方法があります。「丸投げ法」は禁止するとしても、自分で書いた文章をChatGPTに校正してもらうことを禁止する理由はないでしょう。では、丸投げと校正を、どう区別できるでしょうか?

さらに重要なのは、右のような対処方針が、「生徒や学生の行動をどう制約するか?」を中心に考えており、「自分たち教育者がどう変わらなければならないか?」をあまり考えていないことです。禁止するだけでは、新しい技術がもたらす潜在的利益を取り逃がすことになります。「問題があるから禁止する」というのでは、産業革命のときの「機械打ちこわし運動」と大差がありません。

こうした技術を頭から否定するのでなく、その問題点と能力の限界を認識した上で、これを活用する能力を高めるよう、教育体制を改革すべきです。

そのため、教育がそもそも何を目指すかという根本的な問題への態度を明らかにした上で、教育体制を根底から作り直すことが必要です。

なお、使用有無の事後的なチェックは難しいですが、手抜きの事前抑止は、それほど難しくありません。適切な課題を出すことによって、かなりの程度は防止することができます。

「実際の例をあげて」「実際のデータを示して」「最近のデータを参照しつつ」といった形で出題すればよいのです。そして、ChatGPT の出力には事実に関する誤りが多いことを、十分注意しておきます。

情報技術の発達に教育は対応してきたか

ＩＴの発達が教育のあり方に影響を与えたのは、今回が初めてではありません。これまでも大きな影響を与えてきました。

例えば、漢字や英語の単語を正しく書くことについて考えてみましょう。従来、これらは国語や英語の教育で重要な地位を占めていました。ところが、ワードプロセッサを使って文章を書けるようになったために、「正しく書く」ことの重要性は低下しました。

漢字にしても英語の単語にしても、「読んで理解できればよい」ということになったのです。

これは、初等教育課程でどれだけの漢字を学ぶべきかという判断に、大きな影響を与えます。漢字数を制限するのではなく、むしろ、できるだけたくさん使うという方向に転換することが必要になったのです。その理由は、つぎのとおりです。

日本語の文章は、漢字かな交じり文という、世界でも稀な構造を持っています。重要なことが漢字で表記される場合が多いため、とくに訓練しなくても速読が可能です。ITの発達によって漢字の書き方を覚える必要性が下がったため、この方式の有用性が増したことになります。それを活用するために、漢字数の制限を緩める必要があるのです。ところが、これに対して実際に十分な対応がなされたかどうかは、疑問です。

検索技術を使えれば、暗記する必要はないのか

では、コンピュータができるようになったことであれば、人間は勉強する必要がなくなるのでしょうか？　問題は、それほど簡単ではありません。

これは、とくに検索技術について言えることです。検索すればさまざまなことがすぐに分かるので、知識を簡単に増やすことができます。したがって、さまざまなことを暗記していなくても済みます。このため、例えば、「ローマ帝国の第5代皇帝は誰か？」などという試験問題は、まったく無意味なものになりました。

では、ローマ帝国の歴史を知らなくてもよいのかといえば、そうではありません。国がどのような過程で衰退するかを知っていることは、現代の日本を考える場合に大変重要なことです。歴史上の出来事をまったく覚えていなくてもよい、というわけにはいかないのです。

さらに、人間はさまざまな活動を行なう場合に、いろいろな情報を頭の中に暗記しておく必要があります。第6章で述べたように、新しいアイディアの発想は、知識の蓄積がなければできません。ですから、暗記の必要性がまったくなくなるわけではないのです。

暗記がどの程度必要か？　どのような事柄を暗記している必要があるか？　という問題は、検索技術の発達で大きな影響を受けます。そして、これまでの教育（とくに社会科系統）が暗記力を確かめることに偏っていたことは是正しなければなりません。
しかし、どの程度までそれを進めてよいかは、難しい問題です。

人間にしかできない「創造力」を高めるための教育が必要

「ChatGPT などの生成系ＡＩが創造力を持っているか否か？」という問題は、第5章で考えました。その結論は、人間の知的作業の最も重要な部分は、コンピュータには代替できないということです。

ただし、人間が創造活動を行なう方法が、これまでとは変わってきます。

第1に、第2、3章で述べたように、知的活動にかかわるさまざまな仕事（翻訳、要約、校正など）を、ＡＩは人間より効率的に行なってくれます。これによって、人間が創造活動にあてることができる時間が増えます。

第2に、第4、5章で述べたように、人間が行なう知的活動の中核的部分についても、ＡＩは人間を補助してくれます。ただし、そのためには、人間が適切なプロンプトを書く必要があります。このような作業は、これまでなかったもので、人間の知的活動が大きく変化することを意味します。

こうした過程を通じて新しいものが創造されたとすれば、それは、人間のプロンプトが優れているからです。本当に創造活動を行なっているのは、ＡＩではなくプロンプトを書いている人間であると考えられます。

以上をまとめれば、「創造は人間にしかできない。ただし、人間が創造力を発揮する仕方が、これまでとは違ったものになる」ということになります。

AIを受け入れ、教育の内容をシフトさせる

以上のことから、教育の対応は、つぎのようなものであるべきでしょう。

第１に、学生の創造力が失われるという理由で生成系ＡＩの利用を全面的に禁止するのは、適切ではありません。技術が大きく変わりつつある、という事実を受け入れるべきです。

第２に、ChatGPT などの生成系ＡＩを無条件に受け入れるのではなく、その能力は不十分であること、それに依存すればさまざまな危険があること、したがって、これま

での教育課程の大部分は必要なものとして残ることを、学生に納得させるべきです。

とりわけ重要なのは、人間が行なう創造活動を、生成系ＡＩは行なえないことです。したがって、教育の重点を、創造力をいかに高めるかという方向にシフトさせるべきです。例えば、国語や英語の場合、これまでは、与えられた文章の内容を正確に理解することに重点が置かれていました。入学試験においても、このような問題が圧倒的に多かったのです。

しかし、ChatGPTなどの生成系ＡＩは、文章を要約したり、やさしく書き直したりすることによって、理解を容易にしてくれます。だから、人間が難しい文章の解読に苦労する必要は少なくなったのです。そこで、理解する作業はＡＩに助けてもらうこととし、生成系ＡＩによる書き換えや要約にある程度任せる、というシフトが考えられます。

その代わり、問題を捉えること、そして、その答えを自分で見出し、それを生成系ＡＩの力を借りず、自分の力で文章として書く教育に重点を移していくべきです。なぜなら、生成系ＡＩが出力する文章は、仮に間違いがないとしても、あまり上等なものとは言えないからです。

ただし、このような教育を現実に行なうのは、難しいことです。その能力をテストするのは、さらに難しいことです。教育の現場が、果たしてこうしたシフトを実現できるのかどうか、大いに疑問です。

AIを使いこなせる人材を育成する

さらに進んで、生成系ＡＩを使いこなせる人材を育成するような教育をすべきです。これは、高等教育の段階において、とくに重要なことです。

生成系ＡＩを使っても、誰もが同じ結果を出せるわけではありません。これまで何度も述べたように、〈この問題の答えを教えてください〉とか〈○○についてレポートを書いてください〉というような漠然とした指示では実につまらない答えしか出てきません。

プロンプトの書き方、つまり指示の仕方が重要なのです。うまく指示しなければ、よい答えは得られません。よい指示を考えることこそ重要です。使い方によって、結果には大きな差が出るのです。そうであれば、学生に使い方を教えるべきです。

仮に、Ａ大学がChatGPTの使用を禁止し、Ｂ大学では積極的に使い方を教えたとすると、Ｂ大学の学生のほうが、よいレポートを作成できるようになるでしょう。

すると、社会人になったときに、Ｂ大学の卒業生のほうがよい仕事をするようになるでしょう。つまり、ChatGPTを積極的に活用し、知的創造力を増強させるような教育を行なう学校のほうが勝ちということになります。

仮に、大部分の学校が生成系ＡＩの使い方教育に背を向けていても、「使い方講座」の類いが、多数登場するでしょう。塾や専門学校だけではなく、ウェブ上のサービスとしても出てくるでしょう。それらの中には質の低いものも交じっているでしょう。それらを禁止することは不可能です。

そして、これらは、従来の学校システムの重要性を低下させるでしょう。それだけでなく、正式な学校システム以外のウェブサービスが増えることによって、全体としての教育の質を低下させる危険があります。

ただし、大学がChatGPTの積極的利用法の教育を行なうのは、決して簡単なことではありません。そもそも、どのようにしたら生成系ＡＩをうまく使えるかが、まだはっきり分かっていません。教える側としても、手探りでさまざまな試みをやっと始めたというのが現状なのです。

生成系AIの使い方自体が、今後は一つの学問分野として確立されていくことも考えられます。その成果を応用した教育が、実務教育として不可欠なものとされるようになるでしょう。

2　先生の役割が変化する

失業する先生、失業しない先生

学校がChatGPTの使用を禁じる本当の理由は、それを自由に使わせると、先生がいらなくなってしまうというおそれがあるからかもしれません。実際、そうなる可能性は否定できません。

例えば、第3章の1で述べたように、メールの校正をChatGPTに依頼することで、ChatGPTを敬語の使い方を教える先生にすることができます。もっと広い範囲で、同様のことが可能になるかもしれません。

これは、従来型の先生たちが無用の長物《ちょうぶつ》になるということ以外の何物でもありません。生成系ＡＩによってさまざまな職業の人が失業すると考えられますが、先生は、その危険が最も高い職業の一つです。

もちろん、ChatGPTの時代においても、先生が必要です。つまり、先生が全体として必要なくなるわけではないのです。しかし、必要とされるのは、これまでの先生とは違うことをやっている人たちになるはずです。つまり、先生に求められる役割が変わってくるのです。それが具体的にどういうものであるかを探る必要があります。

先生は、数学の問題の解き方や文章の書き方、あるいは知識を教えたりするだけではありません。さまざまな重要な仕事をしています。とくに初等教育においては、生徒の人格形成に重要な役割を果たします。そうした役割の重要性が高まるでしょう。

つまり、あらゆる先生が必要なくなるわけではないのです。ただ、先生に求められる役割が変わってくるのです。この点から言えば、先生の必要性は、幼稚園で最も高く、大学で最も低いということになるでしょう。

ハルシネーション対策は緊急課題

現時点で行なうべき、緊急の課題があります。それは、学生や生徒に誤出力の問題をよく理解させることです。

すでに述べたように、生成系ＡＩの出力する答えには誤りが含まれています。したがってそれを鵜呑みにすると、誤ったことを学習してしまうことになります。次項で見るように、すでに多くの学生や生徒がChatGPTを家庭教師にして勉強していますので、知らないうちに誤った知識を学んでいる可能性が大きいのです。

この問題に対しては、緊急に対処する必要があります。レポートの提出にChatGPTを使わないというようなことより、ずっと緊急の課題です。

3　ChatGPTを家庭教師として勉強することができる

ChatGPTは家庭教師ができる

ChatGPTなどの生成系ＡＩは、勉強の家庭教師役を務めることができます。

例えば、小学生が「78÷8（は、いくつで、余りはいくつ？　という問題は、どのように考えて解けばよいのか？）」という疑問に直面したとしましょう。

大人であればこの問題を解くことはできますが、小学生に、なぜそれでよいのかを説明せよと言うと、とまどうでしょう。ところが、これをChatGPTに聞くと、実に懇切丁寧な答えが返ってきます（実際に試してみてください）。

ウェブを探せば、こうした説明はどこかにあるのかもしれませんが、どこにあるのかを見つけ出すのは大変です。ChatGPTは、質問に対して直接答えてくれます。

こうした問題でつまずいてしまって、それから先に進めなくなり、算数が嫌いになってしまった子供は、大勢いるはずです。分からなくても、学校の先生に個別に聞くことができない。金持ちの子供なら家庭教師に聞くことができるが、貧しい家庭の子供はできない。そうした子供たちにとって、救いの神が現れたことになります。

圧倒的多数が「人間の家庭教師よりChatGPT」

アメリカの教育関係のサイトIntelligent.comが2023年6月8日に公表した調

査：New Survey Finds Students Are Replacing Human Tutors With ChatGPTの結果は衝撃的です（８０１人のアメリカ人に対して、オンラインで5月に行なわれた調査の結果）。

それによると、「人間の家庭教師よりChatGPTが優れている」とする高校生、大学生が回答者の85％、学齢期の子を持つ両親の96％を占めています。

すでに、完全にChatGPTに切り替えてしまった高校生、大学生が、回答者の39％、両親は30％います。切り替えによって、成績が上がったとの回答が95％。

切り替えた科目は数学が最も高く、ハードサイエンス（化学や生物）、外国語が続きます。

無料だし、いつでも利用できるというのは、確かに圧倒的な競争力と言えるでしょう。

理想の教育は、個別指導

「勉強といえば学校で行なうもの」というのが、多くの人の考えです。しかし、昔からそうだったわけではありません。

ヨーロッパの伝統的な社会において、貴族社会での教育は学校ではなく、チューター

（1対1で教える先生）によって個別に行なわれていました。

チューター制度は、オックスフォード大学やケンブリッジ大学などのイギリスの大学でも継続されています。学生は分からないことをチューターに相談します。チューター制度は、アメリカの大学院ではＴＡ（Teaching Assistant：教員助手）として広く展開されています。

理解度は個人によって違うのですから、個別の指導が望ましいことは間違いありません。ただ、チューター制度の問題点は、コストがかかることです。

学校を置き換えるのではなく、家庭教師を置き換える

学校は、単に知識を学ぶ場としてだけでなく、集団生活を経験し、友人を作るのにきわめて重要な役割を果たしています。ですから、現代社会から学校がまったくなくなってしまうようなことは考えられません。

しかし、知識習得のかなりの部分がChatGPTによるチューターで置き換えられる事態は、十分あり得ることです。

ChatGPTは教育課程そのものを置き換えるのではなく、学校教育のよさはそのままにして、これまでチューターが担っていた役割をChatGPTに置き換えるという変革が生じるのではないでしょうか。

あるいは、これまでチューターが利用できなかった人に対して、ChatGPTがチューターの役割を果たすのです。社会人の場合には、こうしたケースが多いでしょう。

貧しい家庭の子供たちが勉強できる効果はきわめて大きい

ChatGPTによる学習の最も大きな特徴は、柔軟性です。いつでも学習を行なうことができます。朝早くでも、真夜中でも構いません。また、学習内容を自由に変えることも可能です。

そして、理解できなければ、質問のやり方を変えて、理解できるまで説明してもらうことが可能です。数学や統計学などでは、このような学習が可能であることは大きな利点です。

貧困のために進学できない子供たちは、発展途上国には、まだたくさんいます。それらの子供たちが独学することによって学ぶ可能性が広がることは、非常に重要な意味を持つでしょう。

先進国でも、丁寧な教育サービスを受けられない子供たちがたくさんいます。これまでは豊かな家庭の子供たちしか利用できなかった個別指導が、貧しい家庭の子供たちでも無料で利用できるのは、大変重要な変化です。こうしたサービスが利用できるようになって、貧富の差が縮小することが期待されます。

なお、ChatGPT をチューターとして用いるのは、必ずしも学齢期の学生に限ったことではありません。ChatGPT は、社会人の勉強でも、家庭教師役を務めてくれます。

すでに学習支援サービスが登場

ただし、現在の ChatGPT に問題があることは事実です。

すでに何度も指摘したように、ChatGPT の答えには間違いがあるため、全面的に信頼するわけにはいきません。

ただし、この問題は、今後の技術進歩によって解決されていくでしょう。また、現在でも、特定のデータベースにＡＰＩ接続（第2章の6参照）して、正確な答えを得られるようにすることは可能です。

実際、すでに、GPT-4が統合された学習支援サービスが登場しています。ウェブを調べると、日本語で利用できるものとして、つぎのようなものがあります。

語学学習アプリDuolingo、教育プラットフォームKhan Academy、「AI先生」「先生のBUKA」等々。

また、東洋大学は、２０２３年5月9日、ＡＩ利用教育システム「AI-MOP」を開発・導入したと発表しました。これによって学生が質問を解決したり、対話を繰り返して理解を深めたりでき、教員側も学生の学習の進捗を確認できる、とのことです。

近い将来に、さまざまな学習用アプリが登場するでしょう。小学生の勉強とか社会人の勉強というような広い括《くく》りでなく、学校ごとの入学試験や、さまざまな資格試験に特化した学習アプリも多数登場すると考えられます。

学習塾、予備校、社会人教育講座などは大きな打撃

これらによって、学習塾、予備校、社会人教育講座などは大きな打撃を受けるでしょう。これまでそうしたサービスを提供していた人々や機関にとっては、死活問題です。家庭教師は、多くの学生にとっての重要な収入源で、それがChatGPTに取って代わられてしまうのは、深刻な問題です。

それだけではありません。資格試験そのものの必要性を見直さなければならなくなるでしょう。ChatGPTに聞けばすぐ答えが得られるのであれば、特定の資格を持った人だけしか仕事をできない、という制度そのものの正当性が揺らぐからです。

また、学校の入学試験も、根本的な変革が必要になると考えられます。

就職試験では、すでに、その問題が生じています。学生の就職活動で重要な役割を果たすエントリーシートを30秒で作成するサービスが登場したため、企業は選考方法を変えなければならないだろうとされているのです（「チャットGPT 就活にもじわり」。朝日新聞、2023年6月26日）。

4　持ち込み禁止は合理的な制約か

「持ち込み禁止」は、現代社会で適切な制約か

大学入試を始めとする「試験」においては、日常生活では利用可能なさまざまな手段を禁止しています。例えば、和文を英訳する必要が生じた場合、試験以外の場であれば、辞書を参照できますし、英語の得意な人に聞くこともできます。

いまでは、生成系ＡＩが十分実用に耐える翻訳サービスを提供します。言うまでもないことですが、これらの使用はルール違反ではなく、ましてや犯罪行為ではありません。

試験でこれらに頼ることを禁止しているのは、「助力を認めれば、本人の能力をテストできないからだ」とされます。常識的に言えば、そうだろうと思います。しかし、現代社会では、自動翻訳サービスを使うことも能力のうちなのですから、禁止する理由は薄弱だとも言えます。

実際、「自力で解く」能力だけが格別重要であるわけではありません。仕事の上で、ある和文の文献を英語に訳すことが必要になったとしましょう。そのとき、自分で英訳

すると多大の時間がかかるのであれば、自動翻訳サービスを利用するのは、合理的なことでしょう。

つまり、和文英訳の能力は、現実の仕事でどうしても必要な能力とは言えないのです。ところが、現在の入学試験では、実務で絶対に必要とは言えない能力（自力で和文英訳すること）をテストしています。

その半面で、入学試験は、実務ではどうしても必要な能力（話す速さで英語表現すること）はテストしていません。

こうした意味において、学校システムにおけるペーパーテストは、日常生活での必要性とは乖離《かいり》した能力を試していることになるのです。

生成系ＡＩの進歩によって、助力を得るのがますます簡単になったため、ＩＴ機器の利用を試験の際に禁止することの意味は一層薄れています。

コピペ禁止は合理的か

技術が進歩しても、人間はすぐには対応できません。例えば、「コピペ」（コピー＆ペイスト）を考えてみましょう。学校で課題を出すと、ウェブからのコピペで作成したものを持ってくる学生がいます。それは問題だという意見が多い。確かに、自分で考えずに複製しただけでは問題です。

しかし、この問題の責任は、学生にあるのではありません。ウェブの情報をコピーしただけでレポートが作成できるのであれば、そうするのは合理的なことです。責任は、コピペでできてしまう課題を出す教師の側にあります。

だいぶ昔のことですが、「課題論文にコピペで作ったものを提出する学生が増えて問題だ」とするテレビ番組のインタビューを受けたことがあります。私は、「このＩＴ時代に、コピペでできてしまう課題を出す先生のほうが、時代遅れ」と答えたのですが、番組製作者は明らかに不満そうでした（求めていたのは、「コピペはけしからん。モラルの確立が必要」という類いの答えだったからです）。

持ち込み禁止もコピペ禁止も、問題の本質は同じです。「大学の教育や入試体制が、ＩＴの進歩に追いついていない」ということが本質です。

現代社会で必要な試験は、日常生活で利用可能な手段をすべて認めた上で、能力をテストできるようなものでなければなりません。生成系ＡＩの登場が、このことの必要性を、ますます強めたのです。

第11章　企業や行政は生成系ＡＩをどう使うか

1　ChatGPTは、人手不足とデジタル化の遅れを解決する切り札となるか

チャットボットやIVRで顧客対応を自動化してきたが……

企業は、顧客からの問い合わせに対応するため、カスタマーサービスを行なっています。また、商業施設や公共施設では、インフォメーションカウンターにスタッフが常駐して道案内をしています。

人手不足に対処するために、こうしたサービスを自動化しようとする動きが進んでいます。一つは、チャットボット（ＡＩを活用した対話ロボット）の導入です。事前に情報を

学習させておくと、顧客の質問に対する自動応答ができます。

もう一つは、電話でのIVRの活用です（IVRとは、Interactive Voice Response：対話式音声応答）。「○○に関するお問い合わせは1番をプッシュしてください」というような音声ガイダンスが流れ、応答するシステムです。地方自治体や、金融機関を始めとする多くの企業で導入されています。「よくある問い合わせ」にIVRが自動応答することによって、電話業務の負担を減らすことが可能です。

さらに、申し込み手続きなどの場合、企業は、電話ではなくウェブで手続きを行なうよう要請して、人手の負担を減らそうとしています。

人間のオペレーターと話したい

ただ、顧客としては、こうした動きに満足しているわけではありません。できることなら、人間のオペレーターと話したいと考えている人が多いでしょう。

IVRで何回も番号を押すのは嫌なものです。チャットボットについても、融通が利かない、細かいことに答えてくれない、などの不満があります。それに対して、人間との会話であれば、柔軟に対応してくれますし、分からない点は何度も聞き返せます。

ChatGPTを利用すれば、これまでより質の高い自動応答サービスを提供できるようになります。人間ほどでないとしても、それにかなり近い対応が可能になるでしょう。外国語での対話もできます。

これによって、コールセンターに人員を配置せずに、24時間稼働できるようになります。また、電話がつながらず、長時間の順番待ちでイライラすることもなくなるでしょう。こうして、顧客の満足度が向上することが予想されます。そして、チャットボットを魅力的な情報源に変身させることができるでしょう。このように、ChatGPTはカスタマーサポートに大きな変革を起こす可能性があると、企業は期待を寄せています。

しかし、ChatGPTは、一般的な学習データから推測して回答するだけです。このため、実際とは違う情報を提供してしまうこともあります。

間違った情報を提供してしまうことは、企業にとって致命的です。したがってChatGPTをそのまま使うことは、リスクが大きいと言わざるを得ません。

企業ごとに学習して、正確に対応

ところが、ChatGPTをAPI接続させることによって、企業ごとの固有サービスとしてChatGPTを使うことができます（APIについては、第2章の6参照）。

ChatGPTとAPIを使用すると、自社の商品情報などをAIに学習させてからChatGPTを利用し、質問への応答といったサービスの提供をすることができます。この方法によれば、学習させた情報以外の情報で勝手に答えてしまうことはなく、正確な応答が可能になります。

ただし、自社でこうしたサービスを開発しようとすると、自社の製品情報などをChatGPTに組み込むために、AIエンジニアが必要になり、高い費用がかかってしまいます。

そこで、そうしたサービスを企業向けに専門的に提供するスタートアップ企業が、いま急激に増えています。

今後は、より高度なサービスが開発されて差別化が進むでしょう。そして発注元企業の特性に合わせた柔軟なシステムを設計し、精度の高いサービスを提供できるChatGPT

専門の企業が成長し、それらの間での競争が激化すると予想されます。

取り扱い説明書に導入してほしい

自動応答サービスが求められるもう一つのものとして、取り扱い説明があります。

家庭電化製品やIT機器などの耐久消費財の取り扱い説明書は、ウェブに詳細なものがありますが、知りたいことがすぐには分からないという問題があります。そこに書いてあるのは一般的な事項なので、個々の場合の具体的な問題に、必ずしも対応してくれないのです。

これを自動化してほしいものです。そうすれば、個々の場合の具体的な問題に、適切な解決策を教えてくれるでしょう。そして、修理サービスの申し込みなどにも直結できるはずです。

このようなサービスを導入した企業の製品に対する需要が高まるでしょう。ハードウエアとしての性能は変わらなくても、カスタマーサービスというソフトウェアの違いによって、売上げが決まるといった事態が予想されます。このため、企業は競って、こうしたサービスを導入するでしょう。

また、ＡＩが顧客の問い合わせをデータとして分析し、顧客の需要に合わせた製品やサポート体制を自動的に構築することもできると思われます。

官公庁の窓口で導入してほしい

自動応答サービスを導入してほしいもう一つのところは、官公庁の窓口です。手続きなどで分からないところが多く、ウェブの説明を見てもよく分からない。マイナンバーカードの登録でも、細かい手続きが事前に分からず、窓口に行ってから持参資料の不備を指摘されるなどの声が聞かれます。

こうしたことへの対応を、電話で自動的に行なってほしいものです。ところが、日本政府は、こういった面への応用を考えていません。

本章の3で述べるように、自民党は、ChatGPTを国会答弁の作成に利用するとしました。その後、河野太郎デジタル相は、２０２３年4月7日の記者会見で「懸念がクリアされれば積極的に考えたい」と述べ、中央省庁での文書作成に活かせないかを検討するとしました。また、松野博一官房長官は、ChatGPTについて「懸念点が解消された場合、国家公務員の業務負担を軽減するための活用などの可能性を検討していきたい」と述べました。

しかし、こうしたことによって行政の効率が上昇するとは考えられません。政府は、ChatGPTを国会答弁の作成などに使うのではなく、官公庁窓口業務の効率化にこそ活用してほしいものです。

日本のデジタル化の突破口になるか

ChatGPTは、今後深刻化していく労働力不足に対応する手段として、重要性を増していくでしょう。それだけではありません。それは、デジタル化の遅れに悩む日本経済を活性化するための突破口にもなり得るでしょう。

日本でデジタル化が進まない基本的な理由は、デジタル人材が育っていないことです。なぜ育たないのかといえば、日本の企業や官庁では、デジタル人材がその能力に見合った処遇を受けていないからです。多くのデジタル人材は、多重下請け構造の中で、きわめて不満足な処遇しか与えられていません。

しかし、右に述べたように、いま、新しいデジタルサービスへの需要が爆発的に伸びようとしています。デジタル人材の活躍場の出現です。能力があれば、自分で起業し、あるいはスタートアップ企業で、思う存分活躍できる機会が生まれているのです。

これを見て、多くの有能な若者が、こうした方面の技能を得ようとし、そして自分で創業するようになることが期待されます。そうした動きこそが、日本のデジタル化の発火点になるでしょう。

2　企業の一般業務への利用の是非

企業によって判断が分かれる

企業の業務で社員にChatGPTなどの生成系AIの利用を認めるかどうかについて、判断は企業によってかなりの差があります。

2023年2月頃の段階では、JPモルガン・チェースやバンク・オブ・アメリカ、ドイツ銀行などの金融機関が、社員の利用を禁止・制限したと報道されました。アマゾン・ドット・コムも、自社で開発中のプログラムなどの機密情報を入力しないよう、社員に注意喚起したと報道されています。

日本では、みずほフィナンシャルグループと三菱ＵＦＪ銀行、三井住友銀行はChatGPTなどの業務での利用を禁止、ソフトバンクは、機密情報の入力をやめるよう社員に通知したと報道されました。

サムスン電子では、3月にChatGPTの使用を許可したところ、少なくとも3件の情報漏洩事案が発生したと報道されました（設備情報の流出、会議内容の流出など）。これを受けて、ChatGPTの誤用・乱用に注意するように、とのメッセージを流しました。

5月には、日本ディープラーニング協会（ＪＤＬＡ）が、生成系ＡＩの利用ガイドラインを発表し、個人情報を始めとするデータの入力で注意すべき点や、文章や画像と著作権法の関係などを盛り込みました。

他方で、積極的に利用を促進しようとする企業もあります。パナソニックホールディングス傘下のパナソニックコネクトは、対話型ＡＩの大規模活用を始め、日本で働く全社員を対象に、資料の下書きなどの業務の助手として使えるようにしました。

アメリカの金融機関での利用が進められるとの報道もあります。生成系AIを搭載したチャットボットは、金融業界では、カスタマーサポート向けにかなり普及しています。それだけでなく、金融業務や取引にも活用できます。これは「対話型金融」(Conversational Finance) と呼ばれるものです。また、生成系AIは、金融モデルを正確に構築するための合成データ生成にも使われます。

リアルタイムのデータドリブン経営が可能になる

生成系AIは、資料の翻訳や要約などを迅速に処理することができます。したがって、この技術は、企業が保有するデータの活用に寄与します。

この技術がさらに進歩すれば、現場からの膨大な量のデータを適切に分類し、要約して経営決定に提供することが可能になるでしょう。この作業はほとんど時間を要することなく実行可能であるため、組織の状況をリアルタイムで把握することができるようになります。そうなれば、リアルタイムのデータドリブン経営が可能になるわけであり、その効果はきわめて大きいでしょう（データドリブン経営については、第2章の6参照）。
したがって、企業が適切な準備を行ない、その技術を活用していくことが必要です。その取り組みの差によって、企業間での生産性格差が生じる可能性があります。生成系ＡＩを業務システムの中に組み込んだ企業が、きわめて高い生産性を実現するのは、十分にあり得ることです。

積極的に利用するか、それとも無関心でいるかは、大きな差をもたらすことになるでしょう。この技術の利用を禁止し続ければ、技術が向上したときにそれを使うことができず、時代に取り残される危険があります。

こうしたことを考えると、生成系ＡＩの利用を禁止することのリスクは、その利用を進めようとすることのリスクを上回る可能性が高いでしょう。

３　ＡＩを無批判で使えば、混乱が広がるだけ

ＡＩを開発しながら慎重な国と、自分では開発せず無批判に使おうとする国

アメリカの非営利団体フューチャー・オブ・ライフ・インスティチュートは、ＡＩの開発に関する公開書簡を発表。２０２３年3月末の時点で、１０００人を超える署名を集めました。この書簡は「人間と競合する知性を備えたＡＩシステムは、社会と人類に重大なリスクをもたらす可能性がある」とし、その技術開発を半年間ストップさせるべきだと提言しました。さらに、ＡＩ開発者は、「自分たちでさえ理解できないデジタル知性を開発する統制不能な競争に陥っている」と批判しています。

これに署名した人の中には、起業家イーロン・マスク氏も含まれています。彼は、ChatGPTを開発した企業オープンＡＩの創業者の一人でした。

現在のＡＩに、それだけの能力があるとは思えないのですが、将来さまざまな問題が起こり得ることは否定できません。この提言が指摘するように、ＡＩの進歩が社会に与える影響は、きわめて大きいと考えざるを得ません。ですから、その開発に規制を加え

るべきだというのは、大変重要な問題提起です。

ところが、これが報道された日に、日本では、これと正反対の提言がなされました。国会答弁の下書きなどに生成系ＡＩを活用するという提言案を、自民党がまとめたのです。

この２つは、ＡＩに対する基本的な態度の際立った違いを示すものです。一方は、きわめて高度な技術を開発しながら、それを無条件に受け入れるのではなく、その社会的な影響について真剣に検討しようとしています。もう一方は、外国で開発された技術を、その見かけに幻惑されて、無条件に受け入れようとしています。この２つの差は、きわめて深刻なものだと私は考えます。

いま行政に取り入れても、混乱が広がるだけ？

国会答弁作成にＡＩを活用しようとしても、能率が上がることはなく、かえって混乱が生じる危険が大きいでしょう。

役人が国会答弁作成のため、深夜までの勤務を強いられています。私自身も（だいぶ昔のことですが）、これにさんざん苦労させられました。

役人がなぜ夜遅くまで役所に残っているのかといえば、それは、資料の収集や分析などに手間がかかるからではありません。

時間がかかる理由は、第1には国会議員からの質問が夜遅くにならないと得られないことです。それまでの間、役人たちは役所で、ただ待機しているだけです。この状態が改善されない限り、深夜勤務問題は解決しません。

国会答弁作成に時間がかかる第2の理由は、他部局や他省庁との調整が必要なことです。関係する部局の了解を得られないと、最終答弁にはできません。この過程で、ＡＩは何の役にも立ちません。

ＡＩを使えば、答弁に必要な資料やデータなどが簡単に得られると考えられているのかもしれませんが、ＡＩの出力には誤りが生まれています。この状態が改善されずにＡＩを使えば、大変な混乱が生じるでしょう。

なお、当然のことですが、行政の能率を高めたり、国会答弁作成の効率を上げるためには、ChatGPT の利用以前に行なうべきことが山ほどあります。

例えば、連絡にメールを使うことです。国会答弁作業に時間がかかるのは、国会議員の先生方が、対面・口頭でないと質問を教えてくれないからです。日本における非効率性とは、このようにごくごく初歩的な段階のものなのです。

第１章の１で述べたように、対話型ＡＩに接したときの人々の反応は、つぎのような経過をたどります。第１段階は、驚き。第２段階で、出力内容がまったくあてにならないことに気づきます。そして、第３段階は、そのような制約を知った上で、どのような利用法があるかとの模索です。

自民党の提言は、第１段階にとどまっているのではないかと考えざるを得ません。

４　「責任あるＡＩ」をどうすれば実現できるのか

Ｇ７で生成系ＡＩが取り上げられた

２０２３年５月に開かれた先進７カ国首脳会議（Ｇ７広島サミット）では、生成系ＡＩに関して、国際的なルール作りを進めることで合意がなされました。Ｇ７の担当閣僚による枠組み「広島ＡＩプロセス」で検討し、２０２３年内に結果を報告するとしています。

これまでもＡＩに対する規制は、各国で問題とされてきました。とくにヨーロッパでは、従来からＡＩによるプロファイリングに対する否定的な考えが強く、ＥＵのＧＤＰＲ（General Data Protection Regulation：一般データ保護規則）のような規制を実行しています。また、２０２４年に完全施行を目指すヨーロッパのＡＩ規則案では、ＡＩのリスクを４段階に分け、高いリスクのあるＡＩは、市場に出す前に評価することが提案されています。

アメリカでも規制的な考えが出てきています。すでに述べたように、イーロン・マスク氏などの関係者による開発延期を求める提案がなされました。また、バイデン大統領も、「適切なガードレールが必要」との考えを示しました。

このテーマがＧ７で取り上げられたのは、生成系ＡＩがもたらす問題が世界的な広がりを持っていることを示しています。

何が問題か①：入力情報の利用法

ヨーロッパが問題視していたプロファイリングとは、利用者が入力した情報が、どのように使われるかというものです。この問題は、生成系ＡＩについてもあります。プロファイリングの問題は確かに重要であり、今後も検討を進める必要があります。ただし、これは、従来からあったものであり、新しい問題ではありません。日本でも、個人情報保護の観点から問題とされており、個人情報保護法制定などの措置がなされています。

生成系ＡＩについては、それ以外にも問題があります。入力した情報が他のところで出力されてしまうかもしれない、あるいは、公開されている情報をＡＩが学習する際に著作権が侵害されるといった問題です。

何が問題か②：企業の社会的責任

生成系ＡＩの問題は、これだけではありません。一般の利用者から見て最大の問題は、生成系ＡＩが出力する文章の内容に誤りが多いことです。

「内容に誤りがある」とは、いくつかの意味があります。まず、意見の相違があります。

これに関しては、中国政府が大きな問題に直面しています。コントロールしなければ、ＡＩが中国政府の方針に反する答えを出してしまうからです。

この問題は、すでに２０１７年にチャットボットの問題として発生しました。中国のＩＴ企業テンセントが開発したチャットボットが、「中国の夢は何か？」という問いに対して、「アメリカに移住すること」と答えてしまったのです。

そこで、中国政府は、いち早く、かつきわめて強力に生成系ＡＩを規制しました。これは、西側諸国がＡＩを規制しようとしているのとは異なる事情です。

西側諸国の利用者にとっても、問題があります。それは、生成系ＡＩの出力に事実の誤り、論理の誤り、数学的な誤りなどが多いことです。これについては、すでに何度も指摘してきました。

ChatGPTもBingも、「結果が間違っているかもしれないから、依存してはならない」という趣旨の注記を出しています。これは、考えてみれば奇妙な注記です。簡単に言えば、「欠陥サービスを提供している」ということになるでしょう。ChatGPTもBingもBardも、一般の利用に供してよい以前の段階のサービスを提供している、つまり、「フライングしている」と考えざるを得ません。

もちろん、どんなものでも、使い方が重要です。料理に使う包丁も殺人の道具になり得ますし、自動車も使い方を誤れば、人を殺す凶器になります。このため、安全基準があり、運転免許証制度があります。

しかし、生成系ＡＩにはそのような仕組みがなく、誤りのチェックが、まったく利用者個人の判断に任されているのです。「企業の社会的責任」と言われますが、このような段階のサービスを市場に出すことこそ最大の問題です。

これをどうコントロールできるか？ ChatGPTもBingもBardも、提供しているのはアメリカの企業ですから、日本がコントロールするのは容易ではありません。だからこそ、Ｇ７のような場で議論することに意味があると言えます。

5 マスメディアより平板で画一的な生成系AI

ChatGPTは、私が誰であるかを知らない

対話型生成系AIを利用すると、私たちはしばしば自分が深く理解されていると感じます。それは、各々が投げかける質問や指示に対して、ChatGPTがそれぞれ異なる回答を出してくれるからです。

これまでのマスメディアとは違い、ChatGPTは、私たちの個別事情を理解して、対応してくれるかのように感じられます。

しかし、これはわれわれがそう感じるだけであり、実際にはそうではありません。私はChatGPTが何であるかだいたい知っていますが、ChatGPTは私が誰であるかを知らないからです。

これを理解するために、あなたがよろず相談役になったと想像してみてください。ChatGPTの利用者は約1億人とされているので、それだけの人があなたのところに相談に訪れます。突然誰かが現れ、「この問題をどう解決すればよいか、アドバイスがほ

しい」と言います。しかし、あなたはその人が誰であるか、まったく知りません。ですから、具体的なアドバイスを出すことはできません。

　生成系ＡＩの状況も、これと同じです。1億人がやってきて、それぞれが自分だけの悩みや疑問、質問への答えやアドバイスを求めてきます。しかし、ＡＩは、その一人一人が誰であるかを知りません。ですから、各々の状況に応じた具体的なアドバイスを提供することはできません。どの程度の専門用語を使ってよいのかなど、まったく分かりません。

　このような問題に対処するために、ChatGPTなどの生成系ＡＩを使うときは、ＡＩに特定の役割を指定するとよいという提案があります。例えば、〈学校の先生になったつもりで答えてほしい〉と指示することです。

　このような指定は可能ですが、ChatGPTにその有用性を尋ねてみると、「あまり意味がない」との答えが返ってきました。ＡＩに特定の視点や立場を強制し、各ユーザーに対する公平性を損なう可能性があるからです。それよりも、自己紹介のように、自分自身の視点や立場を説明するほうがよいでしょう。

マスメディアや検索エンジンより親身になってくれるように思えるが……

マスメディアはすべての視聴者や読者に対して、同じ情報を発信しています。そして、それぞれの場合に、異なる情報を提供しています。ですから、私たちは前述のような錯覚に陥るのです。利用者のそれぞれの問いに対して真剣に考え、適切な回答を見つけてくれているように感じます。このような体験は、私たちにとって新鮮で、それが対話型AIの大きな魅力となっています。

一方、従来型の検索エンジンは、私たちが問いを投げかけると、候補のサイトを一覧で示し、それを私たちに渡すだけです。ですから、検索エンジンは私たちに対して、相談に乗ってくれるような感覚を与えません。検索エンジンは単に情報を提供し、それ以上のことはしません。

しかし、忘れてならないのは、対話型AIが私たちに与える「こちらを見て相談に乗ってくれる」感覚は、実は錯覚に過ぎないということです。中身は同じであり、利用者の質問文やプロンプトに合わせて、見かけだけを変えているのです。

1対1なのは一時的

対話型ＡＩは、一定の時間内であれば、利用者である私のことを覚えています。特定のトピックを続けている間は、それまでの会話が一時的に保存されます。これによって、「先ほどの質問の後半を変えて」などという要求をすることが可能になります。同じことを何度も繰り返す必要がなくなるため、対話がスムーズに進みます。

しかし、この記憶の保持は限定的です。GPT-4の場合は比較的長い間、多くの回答や質問を記憶することができます。その期間内であれば、私は1億分の1の利用者ではなく、まるで2人だけで話をしているかのように感じることができます。それまでの対話の内容に基づく回答が得られるからです。

しかし、一定の時間が過ぎると、私についての記憶は消えてしまい、私は再び1億分の1の利用者に戻ってしまいます。

これは、ＡＩが利用者個々の特性や個人情報を記憶することなく、公平に対話を進めるための重要なメカニズムであり、同時に私たちのプライバシーを保護するための重要な機能だとされています。

ChatGPTの記憶保持の限定性を理解し、それに合わせて対話を進めることが求められます。一時的な記憶保持の恩恵を享受しつつ、その限定性とそれが意味するものを理解し、適切な使用を心掛ける必要があります。

マスメディアより、検索エンジンより平板

生成系ＡＩの回答は、私たちが想像する以上に限定的です。それは画一的というよりは、むしろ平板と表現すべきものです。

一般的な問いかけに対して、よく知られた情報や一般的な答えを提供してくれますが、特定の視点を主張するような意見を求めても、その要求が必ずしも満たされるわけではありません。不満や腹立たしさは避けられません。しかし、それは対話型ＡＩの仕組みからして、当然のことです。

マスメディアの場合、テレビや新聞などは、すべての視聴者や読者に同一の情報を発信しているものの、個人の意見や少数意見を紹介することもあります。

それに対して、生成系ＡＩの場合には、「この問題について、少数意見はどうですか？」と尋ねることはできますが、どの程度の少数意見までカバーできるかは、ＡＩの設計や学習データに大きく依存します。

「日本国憲法第９条は必要ですか？」といった具体的な問題についても、ＡＩが多角的な視点を提供することは保証されていません。

このようなメディアの登場は、民主主義社会にどのような影響を与えるのでしょうか？　私たちはまだ手探りの状態であり、この問題に対する答えを見つけていません。

政治的な観点から見ると、生成系ＡＩが人類に投げかけた最大の問題は、このことなのでしょう。

第12章　生成系AIに職を奪われる人、成長する人

1　大きな変化がこれから起きる

インターネットは多くの人の職を奪った

インターネットは、情報の生産や流通にかかわる、あらゆる仕事に甚大な影響を与えました。

最初に生じた事件は、百科事典が消滅してしまったことです。『エンサイクロペディア・ブリタニカ』は数百年の歴史を誇る知の宝庫。これがマイクロソフトの『エンカルタ』という電子百科事典によって、あっけなく潰されてしまいました。その『エンカル

タ』も、いまや存在しません。百科事典だけでなく、さまざまな辞書もインターネット上の無料の辞書に取って代わられました。

影響を受けたのは、辞書だけではありません。出版数そのものも、書店数も、新聞や雑誌などの紙媒体の刊行物も大きく減少しました。

その後、スマートフォンが普及し、電話機やカメラのメーカーなどの製造業にも甚大な影響が及びました。

これと同じような変化が生成系ＡＩによってこれから引き起こされるだろう、自分がいまやっている仕事がＡＩによって置き換えられてしまうだろうと、多くの人がおそれています。

文章作成にかかわるあらゆる仕事がＡＩに置き換わるわけではありませんが、現在の仕事のうちのかなりが、それによって置き換えられ、その結果、多くの人がいまの仕事を失うことは、決して杞憂ではありません。

機械を打ちこわしても、歴史の動きは止められない

では、どうしたらよいのでしょうか？

新しい技術が失業をもたらすおそれがあるからといって、その使用を禁止するだけでは、現代版の機械打ちこわし運動以外の何物でもありません。新しい技術が職を奪うからと破壊しても、何の意味もないのです。

まず、新しい機械は、つぎつぎに生み出されるでしょう。それらをすべて打ちこわすことは不可能です。

個人の立場から言えば、そんなことをするよりも、新しい技術をうまく使えるように、自分自身を訓練し、変革することのほうが重要です。

そして、社会全体の立場から言えば、新しい技術が人々を不幸にするのではなく、生活をより豊かなものにすることができるように、さまざまな制度を変えていくことが必要です。壊すだけでは止められない歴史の動きがあります。生成系ＡＩは、その一つなのです。

2　文章を書く仕事はどう変わるか

大幅に減少する仕事

生成系ＡＩが人々の仕事や雇用に与える影響を考えるには、まず生成系ＡＩの機能を理解することが重要です。多くの人は、生成系ＡＩは創作をしたり、データを集めて提供するものだと誤解しています。

しかし、これまで述べたように、生成系ＡＩは創作もできず、正しいデータを提供することもできません。生成系ＡＩとは、指示に従って文章を生成するための仕組みです。このことを明確に理解することが重要です。以下では、この理解をもとに、文章を書く仕事を中心として、これからどのような変化が起きるかを考えることとします。

生成系ＡＩの登場によって、すでに潜在的には不要になっており、将来は大幅に減る仕事として、つぎの３つがあります。

（１）翻訳：とくに業務用の翻訳や資料翻訳です。十分実用になる翻訳を生成系ＡＩが作成できます。要旨の作成も可能です。これらについての生成系ＡＩの仕事ぶりは、ほぼ完全と言ってよいでしょう。

なお、文学書などの翻訳は例外で、その需要は減少しますが、完全になくなることはないでしょう。

（2）文章の校正・校閲：形式的な誤りは、生成系ＡＩによってほぼ完全に検出・修正可能です。ただし、表現法などに関する好みの問題は残るでしょう。

事実や統計数字のチェックは、生成系ＡＩにはできないので、これらについての誤りの検出が、校閲の主要な作業となるでしょう。

なお、校正と校閲は文章の誤りを訂正するという点では同じですが、「校正」は誤字脱字や文法上の誤りなどを訂正する作業を指し、「校閲」は主に事実やデータの誤りを訂正する作業を指します。右に述べたのは、校正作業の多くは生成系ＡＩに任せることができるが、校閲作業は人間がやらなければならない、ということです。

（3）ライターの仕事や文字起こし：録音したものを音声認識でテキスト化し、生成系ＡＩがそれを校正することで、ほぼ自動的に文章を作成できます。したがって、ライターや文字起こしの作業は、不要になるか、内容が大きく変わるでしょう。例えば、事実やデータのチェック、資料の収集などを主な業務とする形に変化するでしょう。

著者、記者、編集者、分析者など

著者の仕事そのものは残るでしょうが、作業内容は大きく変わる可能性があります。音声入力と生成系ＡＩの組み合わせをうまく利用することによって、作業効率が飛躍的に向上するからです。また、外国語の文献の要約などを依頼することによって、資料が得やすくなります。

ただし、事実の調査やデータの入手が、現在より格別に簡単になるわけではありません。著者の最も重要な仕事はテーマの選択ですが、この重要性はさらに増すでしょう。

文章を書く前段階でのデータ分析は、一見すると生成系ＡＩによって自動化できる場合が多いように思われるのですが、第２章の４、５で述べたように、実際にはそう簡単にはいきません。適切なデータの選択・収集から始まり、それをどう分析するかなど、依然として人間がしなければならない仕事が多いのです。

記者の取材活動を、生成系ＡＩで代替することもできません。取材は現場での情報収集だけでなく、人々との対話などを通じて真実を追求する重要なプロセスです。信頼性のある情報を提供し、社会的な意義を持つ報道を行なうという記者の役割は、重要なものとして残ります。

編集者の仕事は、場合によって、大きく異なります。形式的な仕事しか行なっていない場合、その役割は生成系ＡＩに置き換えられるでしょう。しかし、雑誌の特集企画や書籍の企画、著者とのコミュニケーションなどは、生成系ＡＩによっては置き換えられない仕事です。

生成系ＡＩの進歩は金融業務にも影響を与えますが、分析的作業への影響は比較的少ないでしょう。ただし、データサイエンスへの影響は大きいでしょう。高度なアルゴリズムや機械学習を利用したデータ分析により、リスク評価の精緻《せいち》化が可能となるでしょう。

なお、２０１３年に発表した共著論文で「米国の雇用の47％が自動化されうる」と予測して注目を集めたオックスフォード大学のマイケル・オズボーン氏は、「ＡＩがクリエイティブな領域で人間を置き換えることはない」「ＡＩは創造性を補強し、新しい創作を可能にする」「重要なのは技術の進化に対応していくこと」と述べています。

また、『ＡＩ　２０４１』（文藝春秋、２０２２年）の共著者であるカイフ・リー氏（グーグル中国法人元社長）は、「人間に残された優位性は、創造性や分析能力、複数の専門的な知見を統合して推論する能力（中略）人と信頼関係を結ぶコミュニケーション能力」と言っています（いずれも日本経済新聞、２０２３年４月21日）。

３　AIは人間の仕事にどのような影響を与えるか

単純労働をAIが代替する

２では、生成系ＡＩが文章を書く仕事に、どのような影響を与えるかを考えました。

本節では、もっと広く、ＡＩが人間の仕事にどのような影響を与えるかを考えましょう。

ＡＩは、まず単純労働を代替します。これは、人手不足に対処するために、すでに進行しています。例えば、レストランの配膳ロボットの自動応答業務にチャットボットを導入するなどです。生成系ＡＩの活用によって、人間に近い応答ができるようになるでしょう。

介護分野におけるロボットの導入も進むでしょう。人手不足に対処するために、導入せざるを得なくなります。また、自動運転が可能になれば、トラック、バス、タクシーなどの運転手が必要なくなります。

ホワイトカラーにも影響が及ぶ

機械による人間労働の代替は、産業革命以来、続いてきた動向です。それと同じ過程が、今後はＡＩによって進むことになります。ＡＩの場合には、人間との代替がもっと広範に進むでしょう。

ホワイトカラーの中には、特殊な技能を持つわけでなく、単なる仲介や取次ぎの役割しか果たしていない人々が多くいます。こうした人々は、ＡＩによって代替されるでしょう。これは、業種のいかんを問わず起こるでしょう。日本では、とりわけ50歳台の人々が整理される可能性があります。

では、経営者は大丈夫でしょうか？　これらの人々が行なっているのは、経営戦略決定などの高度知的作業なので、ＡＩには任せられないような気がします。

しかし、ＡＩのほうが正確にできる判断もあります。実際、不正取引の検出や不正会計処理の検出、信用度の評価などの分野で、ＡＩの活用が急速に広がっています。これまでは人間でなければできないとされてきた仕事が、ＡＩで代替できるようになっているのです。したがって、経営者であっても、決して安泰ではありません。

なお、ＡＩは大量のデータを処理する能力には優れていますが、他方で、人間が持つ直観や経験、洞察力などを代替することはできません。そのため、経営戦略や意思決定において、人間は引き続き重要な役割を果たすでしょう。

ただし、その場合においても、人間に必要とされる能力やスキルは変わってくるでしょう。

士業は残るか

弁護士や公認会計士、税理士などの職業は、法律によって資格が必要とされているので、職業そのものがなくなることはないでしょう。ただし、データや書類・資料の整理にＡＩを活用することによって、業務を効率化し、精度を向上させることができます。そうしたことによって生産性を上げられる人が伸び、上げられない人が仕事を失うことは十分にあり得るでしょう。

ＡＩによって自動化される仕事が増えれば、人間でなければできない高度な業務の重要性が高まるでしょう。例えば、弁護士の仕事においては、法律や判例の知識だけでなく、個々の事件に対する洞察力や判断力が求められます。

医師については、今後、高齢者の増加に伴って、仕事がますます増えることは間違いありません。そして、医療分野でも、病気の診断や治療において、ＡＩの利用が広がるでしょう。ただし、医師や看護師が持つ人間的な判断は不可欠であり、その重要性は増すでしょう。

専門的な仕事やクリエイティブな仕事は残るか

ＡＩは、研究開発などの専門的な仕事にも影響を与えるでしょう。研究開発の仕事においても、ＡＩが人間を代替することがあり得ます。例えば、「マテリアルズ・インフォマティクス」と呼ばれるＡＩ技術は、原子配列のような物性の特性をコンピュータ上で計算させたり、過去のシミュレーションデータや論文データを機械学習によって分析させたりすることで、新しい材料の探索を進めます。その際、計算科学や情報科学の力を借りて、開発をスピードアップさせます。そして、人間よりはるかに優れた能力を発揮します。

また、これまで述べてきたように、生成系ＡＩは、作曲、アート作品の制作、文章の執筆など、人間でなければできないと考えられていた仕事においても、人間を代替し始めています。グラフィックデザインやウェブデザイン、広告制作などの業務では、近い将来に大きな変化が生じるでしょう。

GPTはGPT

オープンＡＩとペンシルベニア大学の研究者が２０２３年３月27日に発表した論文（GPTs are GPTs: An Early Look at the Labor Market Impact Potential of Large Language Models）は、大規模言語モデル（ＬＬＭ）がホワイトカラーに与える影響について、つぎのように予測しています。

アメリカの労働者の約80％が、少なくとも10％の業務で影響を受ける。約19％の労働者は、少なくとも50％の業務で影響を受ける。高学歴で高い賃金を得ているホワイトカラーへの影響がとくに大きい。

なお、この論文のタイトルは、なかなか洒落ています。GPTはGenerative Pre-trained Transformerの略ですが、これは同時に、「汎用技術」（General-purpose Technology）という意味でのGPTでもあるというのです。汎用技術の例としてしばしばあげられるのは、蒸気機関や電力です。また、インターネットも汎用技術だと言われます。これらは、経済活動のさまざまな場面で使われるため、経済・社会全体の構造を大きく変えてしまうのです。ChatGPTが汎用技術であるとするなら、社会に対する影響はきわめて大きいことになります。

「文章を書く」というのは、知的作業の一部に過ぎないような気がするのですが、実はそうでなく、知的作業全般の中で基本的な位置を占めているのです。

なお、汎用技術については、つぎを参照してください：『ジェネラルパーパス・テクノロジー――日本の停滞を打破する究極手段』（アスキー新書、２００８年。筆者と遠藤諭氏との共著）。

AIと人間との職の奪い合いではなく、人間と人間との職の奪い合い

前記 GPTs are GPTs の指摘で重要なのは、「作業時間が減る」ということです。

ＡＩの影響を考える際に重要なのは、「ある仕事が残るかどうかと、失業が生じるかどうかは別」ということです。

したがって、仮にある仕事が ChatGPT によって侵蝕されないとしても、それに従事している人々のすべてが安泰というわけではありません。

それらの人々の中には、ChatGPT を活用することによって生産性を高められる人が

いるはずです。それらの人々は、その分野の他の人々を駆逐するでしょう。このような事態が広範囲に発生する可能性があります。

ホワイトカラーについても、このことが言えます。ホワイトカラーの仕事のすべてがＡＩによって代替されることはないとしても、ホワイトカラーの中の誰かがＡＩを使いこなすことによって生産性を上げ、「これまで２人でやっていた仕事が一人でできるようになる」といった類いのことが起きるはずです。そうなれば、残りの一人は余分になるわけで、職を失うことになるでしょう。

こうしたことが、高度に知的な活動、例えばマネージメントの仕事や高度な金融サービスなどについて頻発するでしょう。

「ＡＩが職を奪う」と、しばしば言われます。確かにその危険があるのですが、それは、人間がいまやっている仕事がＡＩに取って代わられるというだけのことではありません。

右に述べたように、ＡＩを巧みに使う人が生産性を上げ、そのため他の人が失業するといった場合のほうが多いのではなかろうかと考えられます。つまり、ＡＩと人間との職の奪い合いではなく、人間と人間との間での職の奪い合いが起こると考えられます。

このように、ChatGPTが引き起こす影響は複雑です。

確実に分かるのは、知的活動に関して、非常に大きな変化が起きたということです。

それが、人々にどのような影響を与えるかについては、まだ分からない点が多いのです。

風が吹けば桶屋が儲かる

「バタフライ・エフェクト」とは、気象学者のエドワード・ローレンツによる「ブラジルでの蝶の羽ばたきがテキサスに竜巻を引き起こすか？」という問題提起が由来の言葉で、「些細な出来事が、のちの大きな出来事のきっかけとなる」という意味です。「風が吹けば桶屋が儲かる」と同じようなことです。

生成系AIの影響として普通検討の対象とされるのは、直接的な変化です。これまでの本書の議論でも直接的効果を取り上げました。

しかし、生成系AIの効果は、直接的なものだけではないでしょう。思いもよらぬところに大きな影響が及ぶことは、十分あり得ます。

生成系AIがある分野で引き起こした変化が、つぎつぎに連鎖反応を招き、最初に変化が起きた分野からは想像もできないところで、大きな変化をもたらすこともあるでしょう。

生成系ＡＩの登場は「些細な出来事」とは到底言えないので、それが巻き起こす雇用上の変化は、テキサスの竜巻や桶屋どころのものではないでしょう。ところで、以上では失業するとか仕事がなくなるというネガティブな面を中心に取り上げました。もちろん、これとは逆の側面もあります。実際、「風が吹けば……」は、桶屋の仕事が増えるというポジティブな変化です。

生成系ＡＩによる変化は、最初は文章を書く仕事に関して生じるのですが、それはつぎつぎに連鎖反応を引き起こし、さまざまな経済活動を大きく変える可能性があります。生成系ＡＩは汎用技術であるために、こうしたことが起きるのです。

例えば、生成系ＡＩが翻訳を簡単にやってくれるため、日本人にとって言葉の壁が低くなり、海外との情報交換がより頻繁に行なわれるようになることが期待されます。これまで、日本は言葉の壁のために国際分業で遅れていましたが、この状況が変わるかもしれません。

それによって日本と外国とのさまざまな分業関係が促進され、それが日本再生のきっかけになることもあり得るでしょう。このようなポジティブな変化が起きることを期待したいものです。

４　新しい仕事が生まれる

新たな就業機会が生まれる

「ＡＩによって代替されない仕事がある」と述べました。実は、可能性はこれにとどまりません。新しい仕事が生まれ、新しい就業機会が現れる可能性があるのです。

ＩＴ革命の場合もそうでした。ＩＴの進歩が、さまざまな仕事を消滅させたことは事実です。町の書店はアマゾンによって客を失いました。また、新聞社や出版社は構造不況に陥りました。文章の執筆者もそうです。

しかし、他方で多くの新しい仕事が生み出されました。とくに重要なのは、デジタル技術の専門家に対する需要が増加したことです。日本はいまだにこの問題に対処できないでいます。

ＡＩの導入についても、同じ問題が起きるでしょう。さまざまな分野にＡＩを導入するには、そのための専門家が必要です。日本の場合、専門家の不足がネックになって導入が進まない危険があります。

労働力のミスマッチに対処する

日本は経済全体として労働力が不足するので、以上で述べたことは人手不足緩和というポジティブな結果をもたらすでしょう。とくに介護分野においては、高齢化に伴って要介護人口も増えるので、人手不足はきわめて深刻なものになります。これに対処するために、前記のような技術の導入は、大きな役割を果たすでしょう。

ただし、全体としてうまくいく保障はありません。部門間の労働力のミスマッチがあるため、それを解消するには、労働力が組織間を自由に移動できるような条件が整備されていなければなりません。

仕事は残っても、人間のやることが変わる

前節で述べたように、仕事そのものが残っても、人間が行なうべき仕事の内容は変わるでしょう。つまり、どの分野においても、必要とされるスキルが変わるのです。これにどう対処するかが重要です。

必要とされるスキルは、デジタル機器を扱えることだけではありません。ＡＩにはできず、人間でしかできないことが、これまでより強く人間に求められるのです。

このことが最もはっきり現れるのが、「先生」という職業でしょう。第10章で述べたように、知識を教えるだけでなく、生徒や学生とうまくコミュニケーションをとり、彼らの気持ちをよく理解できることが重要になります。

同じことが、弁護士や医師についても言えるでしょう。したがって、「若い人なら対応できるが、高齢者にはできない」ということではありません。むしろ、逆の場合のほうが多いかもしれません。

人間でなければできない仕事の価値は上がる

右に述べたように、人間でなければできない仕事が残ります。そして、ＡＩが遂行できる分野で効率が上がれば、人間にしかできない仕事の中で、これまでよりも価値の高まるものが必ずあるはずです。

文章執筆の仕事が、ＡＩによって奪われるという見方があります。文章執筆者にとってＡＩは敵だという考えです。しかしＡＩが敵になるか味方になるかは、文章の内容や水準によって大きく違います。

ＡＩが書けるような文章を書いている人々にとって、ＡＩは明らかに脅威になります。しかし、他の人が書けない文章や新しい発想、新しい見方、新しい考え方を提供できる人にとっては、ＡＩは決して競合者にはならず、むしろよい協力者であり、強力な味方になります。結局、ＡＩが敵になるか味方になるかは、どのような文章を書いているかによるのです。

「どこに人間の仕事の価値を見出していくか？」を問い続けることが必要です。そうした仕事を見出し、それに特化する個人や企業が、これからの社会において成長するでしょう。

このようなプロセスを通じて、質の低い文章が淘汰され、全体としての文章の質は向上していくことが期待されます。そうしたことを実現するために望まれるのは、読者が質の高い文章を求めることです。これについては、６で述べます。

５　生成系ＡＩは、ウェブ記事サイトを壊滅させるか

生成系ＡＩで記事を読めるかどうか実験してみた

生成系ＡＩを使ってウェブの記事を読めるでしょうか。

もしできれば、いちいちサイトを訪れなくても記事を読めるので、閲覧者には非常に便利です。第２章の２で述べたように、記事の要約を作ることを生成系ＡＩに頼むこともできます。こうして情報収集活動が劇的に効率化します。

しかし、著者やサイト運営者の立場からすると、もしこうしたことができると、大問題です。著作権が侵害されることになりますし、サイトを訪れる人がいなくなってしま

うからです。

そこで、BingとBardを用いて実験を行なってみました。

最初は、「現代ビジネス」に公表された私の記事を読めるかどうかの実験です。つぎのように質問します。

（1）「ChatGPTの成果を左右するプロンプトエンジニアリング、その活用のポイントと課題―まず『何を求めるか』を把握してから」(https://gendai.media/articles/-/111428) を開いてください。

（2）この記事の本文は、つぎの小見出しから始まります。「『プロンプトエンジニアリング』の登場」。これに続く本文の最初の文章は何ですか？

（3）この記事の本文の最後の文章は何ですか？

Bardは、ウェブの記事を読めるようだ

Bingは、（2）、（3）とも、プロンプトエンジニアリングという言葉に関係すること（私の記事には入っていない事項）を適当に並べただけで、とても私の記事を読んだとは思

えません。タイトルを読んだだけではないかと疑われます。
ところが、Bard の答えは、つぎのようなものでした。
（2）プロンプトエンジニアリングとは、生成系ＡＩがよりよい結果を出せるように、プロンプトを設計する技術です。
（3）プロンプトエンジニアリングは、生成系ＡＩを活用する上で、重要な技術と言えるでしょう。

（2）、（3）についての正解は、つぎのとおりです。
（2）「プロンプトエンジニアリング」という言葉が見られるようになりました。
（3）プロンプトエンジニアリングの重要な課題でしょう。

Bard の答えは、これと完全に一致しているわけではないので、判断が難しいところです。しかし、「不完全ながら読めている」と考えることができるでしょう。

Bingは、新聞の社説を読める

もう一つ実験しました。今度は、新聞の社説。これは、各社ともインターネットに無料で公開しています。つぎのように問いかけます。

（1）［社説］米利上げ「休止」も物価高対応を万全に（https://www.nikkei.com/article/DGXZQODK155E10V10C23A6000000/）を開いてください。

（2）最初の文章を示してください。

（3）最後の文章を示してください。

正解はつぎのとおり。

（2）米連邦準備理事会（ＦＲＢ）は14日の米連邦公開市場委員会（ＦＯＭＣ）で政策金利の据え置きを決めた。

（3）市場との対話に留意しつつ、綿密な情勢分析と政策判断が求められる。

Bingの答えは、つぎのとおりでした。

（2）米連邦準備理事会（FRB）は14日の米連邦公開市場委員会（FOMC）で政策金利の据え置きを決めた。
（3）金融政策の正常化に向けた道筋を示すことが重要だ。

（2）は正確。ただ、（3）は少しずれています。
Bardの答えはつぎのとおり。

（2）米連邦準備制度理事会（FRB）は15日の連邦公開市場委員会（FOMC）で、政策金利の０・７５％引き上げを決定した。
（3）日本では、政府と日銀が連携して物価高に万全を期すことが重要だ。

微妙にずれています（日付けを1日間違えています！）。しかし、まったく見当違いというわけでもないので、判定が難しいところです。

このように、BingやBardの場合には、読めたか読めていないかが、判然としません。読めていない可能性もあります。

なお、第2章の2で述べたように、ChatGPTでプラグインを用いると、無料で公開されている記事は、テキストに関する限り、かなり正確に読めます。

「ウェブスクレイピング」が完全にできれば、サイト運営に大きな支障

これらの実験で私が生成系ＡＩに依頼したのは、「ウェブスクレイピング」と言われていることです（第2章の5参照）。これは、サイトやデータベースから特定の情報を抽出する技術です。これができれば、そこに格納されている大量のデータから、望むデータだけを抽出することができます。

この技術は、簡単なものではありません。高度なプログラミング言語を使わねばならず、しかも相手のサイトの構造に合わせて、適切なプログラムを書く必要があります。

もし、生成系ＡＩに対して自然言語で依頼することによってこれが可能になれば、面倒なプログラムを書くことなく、誰でも簡単にウェブスクレイピングができることになります。その結果、閲覧者は、目的のサイトのＵＲＬが分かれば、実際にそのサイトを訪れなくとも、必要な情報だけをそこから引き出すことができます。

これに関して第2章と本章でこれまで述べてきたことをまとめると、つぎのようになります。

無料で公開されているテキストの記事で、ＵＲＬやタイトルが分かっている場合、プラグインを用いるChatGPT-4なら、内容を正確に読めます。要約を頼むこともできます。

Bingや Bardでもできますが、内容を信頼できるかどうか不確かです。

記事が有料である場合、ChatGPTとBardでは読むことができません。Bingの場合、読めていると思われる場合もあります。ただし、結果はあまり信頼できません。

望む数字などだけを取り出す作業（ウェブスクレイピング）は、プラグインを用いるChatGPTでも、BingやBardでも、常に正しい答えを得ることは、期待できません。

以上のことは、サイトの運営にどのような影響を与えるでしょうか。

無料の記事の場合、プラグインを利用すれば、広告を掻き分けて読むような手間が必要なくなり、かつ要約も頼めるので、サイトを訪れる人がいなくなるかもしれません。

もともと無料で公開されている記事だから、このようにして読めてしまっても、問題はないと言えるかもしれません。

しかし、公的機関の場合は別として、民間主体が無料の記事を公開している場合、広告収入が重要な役割を果たしています。あるいはその記事で読者を集め、自社サービスに誘導しようとしています。記事の一部の内容だけを前述のような形で読まれてしまうと、サイトの運営に大きな影響が生じる可能性があります。

AIの能力が高まれば、問題が現実化

しかし、いつまでもいまの状況が続くとは考えられません。生成系AIの技術進歩はきわめて急速です。1年前には、ここで論じているようなことが問題になろうなどとさえ、誰も考えていませんでした。

ところがいまでは、不完全ではあるものの、ウェブの記事を、生成系AIを通じて読めるようになっています。

AIの進歩は急速なので、近い将来にウェブの記事を、生成系AIを通じて簡単に、そして完全に読めるようになるのは、技術的な観点だけから言えば、十分あり得ること

です。

本書では、生成系ＡＩの出力に誤りが多いことを何度も指摘しました。能力が低いから人々はあまり信頼せず、その結果、社会に対する影響も限定的だと考えることもできます。

生成系ＡＩがもたらす本当の問題は、その能力が向上して、人々がさまざまな面で使い出すことによって生じるのでしょう。

6　生成系ＡＩは、従来型メディアを復権させるか

悪貨が良貨を駆逐する危険

生成系ＡＩは、指示に従って文章を自動的に作成します。このため、内容を問わなければ、文章の作成が、ほとんどゼロのコストでできるようになりました。そうなると、大量の文章がネット空間に現れるでしょう。とりわけ、ＳＮＳや投稿サイトには、これまでよりさらに大量の情報が溢れるでしょう。

　しかし、それらの情報は、信頼性の点で大きな問題を孕《はら》んでいます。質の低い文章や意図しない誤り、あるいは、内容がまったく信頼できないものや嘘の情報、さらに、世論操作を目的としたでっち上げの情報などが大量に供給されるでしょう。現在でもすでにそうした状況になっていますが、それが加速することが懸念されます。

　私が危惧するのは、そうなった場合に優勝劣敗の法則が働かず、逆に、悪貨が良貨を駆逐してしまうことです。

アカロフの「レモンの理論」

　これに関して、「レモンの市場」という考えがあります。レモンは、中身が腐っていても、外から見るとそれが分からない。そのような性質を持った商品の市場に何が起こるかです。

　ノーベル経済学賞の受賞者であるジョージ・アカロフは、１９７０年に「レモン市場―品質、不確実性とマーケットメカニズム」という論文を書きました。中古車の場合、売り手はその商品に関する悪い情報を知っているが、買い手はそれを知らない。そのため、よいものが市場に出ず、悪いものだけが市場取引される。その結果、粗悪な商品がはびこる、という内容です。

「レモン」とは、単に質が悪いというだけでなく、「中身が腐っていても外からは見えない」という点が重要です。

情報の場合も、読んでからでないと、その質を評価できないので、レモンの市場になってしまう危険性は大きいのです。

情報の信頼性を人々が重視してほしい

ただし、ここで注意しなければならないのは、このようなことが、何の歯止めもなしに進行するわけではないことです。

中古車市場の場合、品質を消費者に正直に伝える売り手が現れ、そうした人に消費者の信頼が寄せられれば、市場のレモン化を阻止することができるでしょう。

同じことが、情報のマーケットについても言えます。「SNSの情報は信頼ができないが、新聞社やテレビ局、出版社が発信している情報は信頼が置ける」、あるいは「あの人が発信している情報は質が高く、信頼できる」などと人々が考えるようになる可能性があります。

情報の信頼性や質が大きな問題だと意識され、右のプロセスが働けば、情報市場のレモン化にチェックがかかることが期待されるのです。

ここで重要なのは、人々が信頼性や質を重視することです。そして、その面から情報発信者の役割を見直すことです。

これに関して、新聞通信調査会が実施したメディアに関する全国世論調査があります。それによると、「信頼できる情報源は、どこか」との質問で、１００点満点での採点は、つぎのとおりでした。

ＮＨＫテレビが67・4、新聞が67・1、インターネットが48・9。信頼できる情報が得られるという意味で、テレビや新聞が評価されていることが分かります。マスメディアでは、ニュースに裏づけをとっています。ですから信憑性《しんぴょうせい》が高いと考えられているのです。

ＡＩを使った記事が増えてきた場合、読者としても、これまでとは違った読み方が必要になります。

経済問題についての記事や論評の場合、データを引用しつつ議論していることが、信頼性の一つの目安になります。

現実の経済について論じる場合、データを参照することは不可欠です。しかし、これまで述べてきたように、AIを用いて記事を書こうとすると、数字が信用できるかどうか分かりません。これをチェックするのが面倒だと考える著者は、数字を使わないで議論しようとするでしょう。そうした記事の信頼性は低いと考えることができます。

つまり、データを用いて議論していることが、信頼性の目安になるのです。

先述したように、情報は読んでからでないと、その質を評価できないので、レモンの市場になってしまう危険性は大きいのですが、いま述べたことを考えると、外見だけでも、質をある程度評価できることになります。

文章のマーケットを「レモンの市場」にしないために

こうしたことの結果、棲み分けがなされることが期待されます。

センセーショナルな記事を求めたいときは、信憑性に疑問があっても、ＳＮＳの記事を読む。一方、信頼性のある情報を求めたい場合には、信頼できる主体が発行しているニュース、あるいはそこがウェブに配信している記事を読む。さらに質の高い情報を求める場合には、印刷物、つまり新聞、雑誌、書籍を読む、という棲み分けです。

印刷物は、きわめて厳密な校正や校閲を行なっています。それだけコストをかけているため、情報の質が高いと考えることができます。

このような選別が進めば、印刷物の復権という事態もあり得なくはないでしょう。実際、生成系ＡＩによって質の低い文章が大量に溢れるほど、質の高い情報が強く求められるようになるのは、十分にあり得ることです。

このような棲み分けはすでに進んでいると思われますが、生成系ＡＩが、その棲み分けを決定的なものにする可能性があります。

もちろん、このようなプロセスが進んだところで、従来型メディアの比率が自動的に上昇するとは限りません。実際、新聞の購読率はかなり低下しているのです。前述の調査で２００８年の新聞購読率は88・6％でしたが、２０２２年では58・3％に低下しています。印刷物一般に関して、同様の傾向が見られます。信頼性や質が人々にどの程度評価されるかは、疑問なしとできないのです。問題は、それほど簡単なものではありません。

この問題を克服するために重要なのは、発行者の自覚でしょう。信頼性と質をこそ売り物にすべき印刷物が、ＳＮＳと同じレベルで競争しようとしている事態も見受けられます。これは、自殺行為としか考えられません。そうした状態から脱却し、自分自身の価値がどこにあるのかを自覚すべきです。

文章のマーケットをレモンの市場としないこと。それが生成系ＡＩの時代において、文章にかかわる仕事に携わっているすべての人が目指すべき最大の課題であると思います。

ま

や

ら

わ

な

は

た

さ

索引

著者略歴

野口悠紀雄《のぐちゆきお》

一九四〇年、東京に生まれる。六三年、東京大学工学部卒業。
六四年、大蔵省入省。七二年、エール大学Ph.D.（経済学博士号）。
一橋大学教授、東京大学教授（先端経済工学研究センター長）、
スタンフォード大学客員教授、
早稲田大学大学院ファイナンス研究科教授などを経て、
一橋大学名誉教授。専攻は日本経済論。
近著に『日本が先進国から脱落する日』（プレジデント社、岡倉天心賞）、
『2040年の日本』（幻冬舎新書）、
『超「超」勉強法』（プレジデント社）、『日銀の責任』（PHP新書）、
『プア・ジャパン』（朝日新書）ほか多数。

・X（旧ツイッター） https://twitter.com/yukionoguchi10
・note https://note.com/yukionoguchi
・野口悠紀雄Online https://www.noguchi.co.jp/

幻冬舎新書 705

「超」創造法

生成AIで知的活動はどう変わる？

二〇二三年九月二十五日　第一刷発行

著者　野口悠紀雄

発行人　見城　徹

編集人　小木田順子

編集者　四本恭子

発行所　株式会社　幻冬舎

〒一五一-〇〇五一　東京都渋谷区千駄ヶ谷四-九-七

電話　〇三-五四一一-六二一一（編集）

〇三-五四一一-六二二二（営業）

公式HP　https://www.gentosha.co.jp/

ブックデザイン　鈴木成一デザイン室

印刷・製本所　株式会社　光邦

Printed in Japan　ISBN978-4-344-98707-4 C0295

の-3-3

*この本に関するご意見・ご感想は、左記アンケートフォームからお寄せください。

https://www.gentosha.co.jp/e/

幻冬舎新書

野口悠紀雄
だから古典は面白い

無類の読書家であり経済学者の著者は「読書するなら古典」という。著者が推薦する本を読めば、そのめくるめく世界観に心浮き立つだけでなく、仕事で役立つ知識も身につくこと、請け合い！

野口悠紀雄
２０４０年の日本

20年後の日本を経済学者が大胆予測。日本経済や国力、年金や医療費などの社会保障、医療・介護技術、メタバースやエネルギー問題、ＥＶや核融合・量子コンピュータなど幅広い分野について言及。

丹羽宇一郎
仕事がなくなる！

対話型ＡＩが話題だが、ＡＩを超える働き方をするにはどうすればいいのか。「ＡＩが持ち得ない、人間独自のものに注力すべきだ」と著者は力説。現状維持では仕事どころか、居場所もなくなる！

坂口孝則
未来の稼ぎ方
ビジネス年表2019-2038

この先の20年で儲かる業界とそのピークは？〈エネルギー〉〈インフラ〉〈宇宙〉〈アフリカ〉など注目業界の未来を予測し、20年分のビジネスアイデアを網羅。時代の本質を見極める一冊。